Chère lectrice,

Un jour, on m'a demandé pourquoi, à mon avis, les romans d'amour ont un tel succès populaire. L'espace de quelques secondes, je me suis dit que c'était une sacrée colle et je suis restée coite. Puis la réponse s'est imposée : si le roman d'amour est tellement apprécié des femmes, c'est qu'il est exactement taillé pour elles — chose rare dans notre société. Car ce sont presque exclusivement des femmes qui écrivent, éditent et lisent des romans d'amour. Et les héroïnes ont une liberté d'être que notre société décourage : elles ont du cran, elles sont indépendantes et sensuelles. Dans la vie, ces traits de personnalité peuvent leur être reprochés alors que dans un roman d'amour, il y a toujours un homme beau, intelligent, auquel sa sensibilité permet de les priser.

D'où le *happy end…*

Et c'est signé : Elizabeth Bevarly, un de vos auteurs favoris. Partagez-vous son point de vue ?

En tout cas, bonne lecture.

La responsable de collection

La maison de tous les bonheurs

DIXIE BROWNING

La maison
de tous les bonheurs

HARLEQUIN

COLLECTION ROUGE PASSION

Cet ouvrage a été publié en langue anglaise
sous le titre :
HIS BUSINESS, HER BABY

Traduction française de
CAROL MONROE

HARLEQUIN®

est une marque déposée du Groupe Harlequin
et Rouge Passion® est une marque déposée d'Harlequin S.A.

Originally published by SILHOUETTE BOOKS,
division of Harlequin Enterprises Ltd.
Toronto, Canada

Photo de couverture
© WERNER BOKELBERG / GETTY IMAGES

© 1998, Dixie Browning. © 2003, Traduction française : Harlequin S.A.
83-85, boulevard Vincent-Auriol, 75013 PARIS — Tél. : 01 42 16 63 63
Service Lectrices — Tél. : 01 45 82 47 47
ISBN 2-280-11985-4— ISSN 0993-443X

1.

« Le stress peut tuer. Si vous refusez de cesser *immédiatement* toute activité professionnelle, vous courez vers une mort certaine. Et à très brève échéance ».

Cela faisait plusieurs semaines que Harrison Lancaster Lawless, fondateur, actionnaire principal, et encore très récemment P.-D.G. de la Lawless Company, retournait dans sa tête l'avertissement du chirurgien cardiaque qui lui avait sauvé la vie.

In extremis.

Mais provisoirement, et à la condition expresse qu'il abandonne toutes affaires cessantes ce qui était devenu sa seule véritable passion : sa Compagnie.

Harrison avait d'abord protesté. Refusant de croire à l'inéluctable, il était allé consulter d'autres éminents professeurs en médecine, dans l'espoir d'entendre de leurs bouches un diagnostic moins catastrophique.

Mais tous ces spécialistes, pour une fois, étaient tombés d'accord : il devait raccrocher les gants. Aucune alternative possible. Harrison était tout sauf stupide, il avait compris le message, et il s'était résigné.

A une condition toutefois : d'accord, il allait mettre un terme à son activité professionnelle. D'accord, il allait changer de mode de vie. Mais il allait faire les choses *bien*. A sa façon : avec panache.

Il descendit de sa Land Rover toute neuve, referma la portière derrière lui puis se retourna pour examiner d'un œil critique la maison qui se dressait devant lui.

Située au bord de l'eau, au fond d'une crique formée par une boucle de la Rivière Alligator, elle avait été construite en rondins selon le style traditionnel de la région. Basse et très allongée, elle se composait d'une partie centrale flanquée de deux ailes formant un U en avancée vers la rive. Une véranda, de bois elle aussi, courait tout autour de la maison, prolongée sur les côtés pas un pont en teck qui avançait sur l'eau.

Orientée au Sud, elle baignait en ce moment dans une douce lumière et formait un tableau idyllique entre l'écrin de verdure de la forêt à laquelle elle était adossée, et l'eau calme de la rivière qui reflétait le soleil matinal. Deux voiliers voguant au fil de l'eau accentuaient encore l'impression de sérénité et d'harmonie.

« A mourir d'ennui », pensa Harrison en hochant la tête avec un soupir de résignation.

Il releva ses lunettes de soleil sur le sommet de son crâne, puis enfonça les mains dans les poches de son pantalon et donna un coup de pied dans l'un des cailloux du chemin. Non, les médecins ne lui avaient pas laissé le choix : il devait arrêter tout, tout de suite. Et c'était bien là le problème : certains enfants héritent de cheveux roux, d'autres de pieds plats, lui avait hérité d'un sens de la compétition qui ne souffrait pas de demi-mesure. Il devait donc, impérativement, s'éloigner le plus possible de toute velléité de développement industriel ou commercial — et elles étaient nombreuses.

Il s'agissait dorénavant de « prendre le temps de sentir le parfum des fleurs », pour reprendre l'expression de son cardiologue. Ha ! S'il ne s'était pas senti aussi déprimé par une perspective aussi peu exaltante, il aurait sans doute pu en rire.

Il laissa son regard errer sur l'eau, vers les voiliers. Certains de ses amis pratiquaient la voile. Lui s'était toujours demandé comment un homme avec un cerveau en état de marche pouvait supporter de passer des heures — voire des semaines — à ne rien faire en se laissant pousser par le vent.

Eh bien, il n'allait sans doute pas tarder à le découvrir par lui-même...

Il suivit du regard les voiliers s'éloigner, s'obligeant à les regarder jusqu'à ce qu'ils disparaissent au détour d'un méandre de la rivière. Il s'obligea également à respirer profondément, histoire de s'emplir les poumons d'air frais. Il allait devoir s'habituer à ça aussi. A ce parfum d'eau douce et de résineux. Pour le moment en tout cas, il aurait donné un énorme paquet de ses actions pour retrouver l'odeur familière des gaz d'échappement, le vacarme des voitures, et les hordes humaines déferlant sur les trottoirs de Manhattan. Ou de n'importe quelle autre ville d'ailleurs : New York, Londres, Hong-Kong, étaient des villes qui « bougeaient ». Ici, rien ne bougeait. Rien.

Il devait pourtant bien exister dans le coin une forme quelconque d'activité possible. Restait à trouver laquelle, s'il espérait survivre.

Harrison, qui s'était toujours targué de tout contrôler dans sa vie, venait d'apprendre à ses dépens qu'un homme incapable de contrôler son niveau de stress ne peut espérer contrôler une entreprise générant des millions de dollars de bénéfice.

Il avait bien failli y rester. Et s'il ne voulait pas se retrouver au service des urgences cardiologiques en unité de soins intensifs — ou six pieds sous terre — il allait devoir changer son mode de vie. Du tout au tout.

Même si la perspective d'une vie paisible dans ce décor de carte postale lui apparaissait comme un enterrement de première classe, cet enterrement avait du moins le mérite d'être beaucoup moins « définitif » que celui dont l'avaient menacé les médecins en cas de récidive.

Il avait donc décidé de leur obéir. D'aller se mettre au vert. Et avait jeté son dévolu sur la supposée « terre de ses ancêtres », la région que son grand-père avait quittée pour venir tenter l'aventure à New York.

Il avait suivi l'autoroute 64 et avait bifurqué, au hasard, dans une route transversale. Il avait traversé des kilomètres de forêts, de marais et de pâturages, et failli manquer le petit chemin de terre.

Il aurait d'ailleurs aussi bien pu manquer la maison, tant elle se fondait dans le paysage au bout de sa petite crique. Mais deux choses avaient attiré son attention. D'abord le panneau « A vendre » planté devant la maison, et ensuite la chemise de nuit flottant au vent sur une ligne d'étendage. Une immense chemise de nuit. Plus dans le style « Petite maison dans la prairie » que dans celui de Victoria's Secret — la boutique de lingerie la plus sophistiquée de New York.

Les yeux plissés contre le soleil printanier de cette fin mai, il observa la maison, la voiture sans âge garée devant, la pelouse et les massifs de fleurs laissés à l'abandon et gagnés par les mauvaises herbes, trahissant l'évident manque de goût du propriétaire pour le jardinage.

Mais abandonnée ou pas, entretenue ou pas, cette propriété paraissait convenir parfaitement à la prescription des médecins.

D'abord par sa situation : assez loin de tout pour qu'il n'ait plus à craindre les journalistes fouineurs. Il avait déjà donné toutes les interviews possibles et imaginables concernant la vente soudaine de la Lawless Company, et la non moins soudaine mise à la retraite de son P.-D.G.

Il leva les yeux pour regarder passer un vol de canards sauvages au-dessus de sa tête. Décidément, entre l'observation des voiliers et celle des oiseaux, il n'allait plus savoir où donner de la tête. Réussirait-il seulement à gérer l'excitation causée par cette activité fébrile ?

Il haussa les épaules en un geste d'autodérision.

Par ailleurs… pour la première fois depuis un an, depuis le moment où son univers s'était écroulé autour de lui, Harrison Lawless sentit poindre en lui un frémissement d'optimisme.

Cléo sortit de la cuisine, un pot de crème glacée dans une main, un livre de prénoms dans l'autre. Cela faisait plus d'une semaine maintenant qu'elle passait le plus clair de son temps à réfléchir à des prénoms possibles au lieu de se concentrer sur la tâche qu'elle était venue accomplir. Qu'était-il arrivé à la jeune femme organisée et compétente, qui avait posté tous ses C.V., avait entrepris de vendre la maison, de se trouver un nouveau job, de s'installer dans un nouvel appartement, bref, de commencer à se construire une nouvelle vie ?

Ces temps-ci, elle se sentait tellement… bizarre, qu'elle en arrivait parfois à en oublier son propre nom. Alors bien sûr, décider d'un nom pour quelqu'un d'autre…

Quant à décider quoi faire des souvenirs de son passé, cela lui semblait tout bonnement un effort surhumain.

Pendant trois semaines, depuis qu'elle était venue de Chesapeake pour signer tous ses papiers dans l'agence immobilière afin de régulariser la mise en vente de la propriété, elle avait l'impression de vivre sur un petit nuage rose d'euphorie prénatale, et se sentait tout à fait incapable de se concentrer sur quoi que ce soit.

Qu'emporter ? Que laisser derrière elle ? Comment décider de ce genre de chose alors qu'elle ne savait même pas où elle allait s'installer ? Jusqu'à présent, elle n'avait reçu de réponse à aucun des C.V. qu'elle avait postés.

Il fallait dire, bien sûr, qu'elle s'était aperçue la veille que son téléphone était tombé en panne. Depuis combien de temps, elle l'ignorait. En tout cas personne n'aurait pu la joindre, à supposer qu'on eût essayé.

Pourtant, lorsqu'elle avait quitté Chesapeake, elle se rappelait avoir suivi un plan. Pas très précis certes, mais un plan tout de même.

Une partie de son problème venait de son manque de confiance en elle-même. Un état déjà antérieur à son mariage avec Niles. Certaines femmes avaient la chance de venir au monde en sachant qui elles étaient, où elles allaient, et comment elles comptaient s'y rendre. Cléo, non.

Elle avait toujours évolué dans une sorte de flou artistique. Elle avait toujours été une rêveuse. Une artiste, pour dire les choses de façon plus positive. Et, entre Niles et ses parents, le peu d'assurance qu'elle avait pu posséder avait été systématiquement détruit.

« Allez, ma fille, se dit-elle, on se remue ! Le temps passe et tu n'as toujours rien fait de constructif. »

Dieu merci, aucun acheteur potentiel ne s'était encore présenté pour visiter la maison. Elle ne se sentait vraiment pas du tout prête.

Curieux que personne n'ait pensé à l'avertir que la grossesse affectait à ce point les facultés cérébrales.

Bon, dès que le téléphone serait réparé, elle commencerait par s'occuper de faire changer son pneu crevé. Franchement, seule et enceinte à des kilomètres du voisin le plus proche, avec son pneu crevé et son téléphone hors service, il n'y avait pas de quoi rire.

De toute façon, elle n'avait pas envie de rire.

Elle soupira, lécha la cuillère pleine de crème glacée et murmura pour elle-même.

« Mabel ? »

Elle avait connu une Mabel, il y avait très longtemps. C'était un joli nom, mais, d'une certaine façon, cela ne lui paraissait pas convenir.

« Magdelayne ? Magnolia ? »

« *Magnolia, fille de Niles et Cléoplatra Barnes* » Wahou !… voilà qui risquait de faire attraper une crise cardiaque à sa belle-mère !

Cléo racla le fond du pot avec sa cuillère, ferma les yeux avec un soupir d'extase, et envisagea un instant d'aller se chercher un second pot dans le congélateur.

Non, ce ne serait pas raisonnable, elle avait déjà pris beaucoup trop de poids ces derniers temps, et il fallait encore qu'elle tienne six semaines, alors…

Bon, nous disions donc… Martha ? Margaret ?

Margaret, pourquoi pas ? Un peu désuet, certes, mais simple et sans problème. Cela ferait la moyenne avec son prénom à elle : le fait d'avoir été affublée par ses parents hippy-écolo d'un nom aussi abracadabrant que Cléopatra-Evangéline l'avait à jamais dégoûtée des prénoms compliqués.

Elle posa son livre sur la table basse du salon et s'allongea avec précaution sur le canapé. Ces temps-ci, elle éprouvait de plus en plus de difficulté à se mouvoir. Elle leva une jambe, puis l'autre, et posa ses deux mains à plat sur son ventre distendu.

Et zut, quelqu'un venait de frapper à la porte. Il n'aurait pas pu se décider à le faire avant qu'elle ne s'allonge, non ?

Elle se demanda un instant si elle n'allait pas faire semblant de ne pas avoir entendu, puis se ravisa. Après tout, il s'agissait peut-être du réparateur de la Compagnie du téléphone, et elle avait vraiment besoin de cet engin.

Elle s'extirpa du canapé avec difficulté.

— J'arrive, j'arrive, cria-t-elle lorsqu'elle entendit qu'on frappait une seconde fois.

Elle plaqua une main sur ses reins douloureux et se dirigea vers la porte dont elle ouvrit grand le battant.

— C'est sans doute ces fichues souris qui ont mangé les fils et…

Elle s'interrompit net, en se trouvant face à un poing brandi prêt à frapper de nouveau. D'instinct, elle leva un bras pour se protéger le visage.

L'homme baissa sa main et lui parut aussitôt moins menaçant.

— Bon sang, s'exclama-t-il en fronçant un sourcil interloqué, mais qu'est-ce qui vous prend ?

— Désolée, balbutia Cléo tout en maudissant ses hormones qui la faisaient réagir de cette façon paranoïaque. Je… vous n'êtes pas le réparateur de la Compagnie du téléphone, n'est-ce pas ?

— Parce que vous trouvez que j'ai l'air d'être un réparateur de la Compagnie du téléphone ?

— Euh, non, bien sûr, je…

Cléo abandonna, se rendant compte qu'elle bafouillait lamentablement.

Non, idiote qu'elle était, bien sûr qu'il n'en avait pas l'air. Pas du tout.

D'abord, il ne portait pas de chemise marquée à son nom. Ensuite, elle n'avait jamais vu de réparateur habillé, comme lui, de vêtements si luxueux que son polo devait coûter à lui seul aussi cher que la totalité de ses robes de grossesse.

Et enfin, il avait de la classe.

La classe, c'était ce qui distinguait les nantis de ce monde du reste des mortels. C'était le mot de passe silencieux, l'invisible symbole d'appartenance utilisé par les gens « bien », comme ses beaux-parents par exemple, pour se démarquer des « ploucs » ou des parvenus.

Oh ! Elle avait bien appris sa leçon au cours de ses années de vie commune avec Niles et ses parents. Ceux-ci l'ayant, dès le départ, irrémédiablement cataloguée dans le clan des « gens de petite extraction ».

Niles et elle avaient été présentés l'un à l'autre lors d'une soirée. Cléo portait une robe qu'une amie styliste lui avait prêtée, spectaculaire dans sa simplicité, un rêve de mousseline bleu nuit rebrodée de paillettes irisées. Ce soir-là, Cléo se sentait jolie, aérienne, heureuse.

— Vous vous appelez vraiment Cléopatra ? s'était exclamée une des amies de la maîtresse de maison. Alors il faut absolument que je vous présente Niles Barnes ! Avec des noms pareils, avouez que vous étiez destinés à vous rencontrer !

Après quelques verres de vin blanc, Cléo, en incurable romantique, avait fini par s'en convaincre.

Niles lui avait fait une cour effrénée, et ils s'étaient mariés dix jours plus tard. Dès leur retour de voyage de noces, il avait décidé de rendre Cléo plus conforme aux normes de la famille Barnes, et cela avait marqué le début de leurs problèmes de couple.

Cléo cligna des yeux pour revenir à la réalité.

— Que voulez-vous ? demanda-t-elle enfin d'une voix qu'elle espérait plus assurée, et à peu près courtoise.

— J'ai vu la pancarte. Je suis preneur.

Elle clignait des yeux de nouveau.

— La pancarte ? répéta-t-elle sans comprendre.

— Oui, la pancarte « à vendre ».

— Vous voulez ma pancarte « à vendre » ?

Il la dévisagea comme s'il la trouvait un peu simple d'esprit et, à sa décharge, Cléo elle-même se sentait l'esprit complètement embué.

— Je souhaite acheter votre maison, expliqua-t-il du ton qu'on prend pour parler à un enfant un peu lent.

Mais il ne paraissait pas du tout aussi calme que son ton voulait le faire croire. Quelque chose dans la crispation de sa mâchoire et dans l'éclat de son regard fit reculer Cléo d'un pas.

De toute évidence, il prit cela pour une invitation car il passa devant elle et entra.

— Ecoutez, commença Cléo, qui que vous soyez, je ne…

Mais elle s'arrêta lorsqu'elle vit qu'il ne lui prêtait pas la moindre attention, absorbé dans la contemplation du séjour cathédrale et des trophées de chasse accrochés aux murs.

— Je pense que vous devriez partir, reprit-elle en élevant la voix.

L'homme dut percevoir l'imperceptible tremblement de sa voix parce qu'il toisa Cléo sans paraître le moins du monde impressionné.

— Je vous demande pardon ? laissa-t-il tomber d'un ton glacial.

Cette maison avait toujours paru à Cléo démesurément grande et, pour tout dire, plutôt prétentieuse. Mais l'inconnu, lui, y semblait parfaitement à sa place. Ce décor paraissait avoir été construit à sa démesure.

— Je déteste les trophées de chasse, dit-elle, se rendant aussitôt compte que sa phrase tombait complètement à plat.

Voilà ce que ça donnait de vivre seule dans les bois pendant un mois, pensa-t-elle. Elle était devenue incapable de tenir une conversation cohérente.

— C'est *exactement* ça…, dit-il d'une voix grave en promenant autour de lui un regard satisfait.

— Non, ça n'est pas « exactement ça » comme vous dites, rétorqua Cléo en croisant les bras à mi-chemin entre sa poitrine et son ventre proéminent.

Elle n'avait pas vraiment peur, non, mais la stature de cet homme l'impressionnait. Il ne lui paraissait pas exactement dangereux, mais par ailleurs, on s'apercevait souvent trop tard que l'on avait affaire à un individu dangereux.

Elle frissonna en dépit de la chaleur du soleil qui pénétrait par les fenêtres ouvertes.

— J'aurais dû retirer la pancarte, mais j'ai oublié.

Il pivota si brusquement sur ses talons qu'elle sursauta, mais elle s'exhorta néanmoins à poursuivre.

— En fait, j'ai décidé …

— C'est déjà vendu ?

— Heu, non, pas exactement.

— Vous êtes la propriétaire ? C'est encore à vendre alors ?

— Oui, je suis la propriétaire, mais non, je vous l'ai déjà dit, j'ai changé d'avis : je ne souhaite plus vendre.

— Vous ne me l'avez pas déjà dit.

— Eh bien, disons que j'aurais pu terminer de vous le dire si vous m'aviez laissé le temps de parler. Ce n'est pas le bon moment. Pour moi, je veux dire, euh, j'attends un bébé et…

— J'avais remarqué.

Elle crut déceler une lueur d'amusement dans ses yeux couleur granit. Tout du moins chez n'importe quel homme ordinaire, cela aurait pu passer pour une lueur d'amusement. Mais il ne s'agissait pas du tout d'un homme ordinaire.

— Je suis désolée que vous ayez perdu votre temps en venant jusqu'ici. Je vais prévenir l'agence immobilière de retirer immédiatement cette maison de leurs offres. Du moins, je les appellerai dès que l'on sera venu réparer ma ligne téléphonique. Et puis, je suis certaine qu'ils trouveront d'autres propriétés à vous proposer.

— Le problème, voyez-vous, répondit-il d'une voix douce, toujours comme s'il s'adressait à un enfant, c'est que je ne *veux pas* qu'on me propose autre chose. Puisque c'est *cette* maison que je veux.

Il l'observa pour juger de l'effet que produisaient ses paroles. Elle écarquilla les yeux avec dans le regard une expression d'impuissance, et même, il l'aurait juré, de crainte. Il la vit resserrer ses mains sur son ventre en un réflexe inconscient d'autoprotection.

Elle lui faisait pitié. Elle semblait complètement déconnectée. Un vrai zombie ! Peut-être que toutes les femmes enceintes avaient le même air, il n'aurait pu le dire, il n'en avait jamais fréquenté.

Bref, déconnectée ou pas, enceinte ou pas, ça n'était pas son problème : elle avait mis sa maison en vente, lui avait décidé de l'acheter, il n'y avait pas à revenir là-dessus. D'ailleurs, en matière de négociations, il n'était pas du tout dans ses habitudes de revenir en arrière.

— Quel genre de contrat avez-vous signé ?

Elle leva vers lui un visage angoissé, pathétique, et il faillit renoncer. Mais il se ravisa aussitôt : il n'était pas arrivé jusqu'ici pour renoncer si facilement.

Erreur. C'est très exactement ce qui t'a amené là où tu te trouves en ce moment : ton incapacité à renoncer devant un défi.

— Vous avez signé un contrat à trente, soixante, ou quatre-vingt-dix jours ? D'ailleurs, vous avez signé quand ?

— Il y a cinq jours, murmura-t-elle, déjà vaincue.

— Donc cette maison est encore à vendre. Et j'ai décidé de l'acheter.

— Mais vous ne l'avez même pas visitée !

— Combien en demandez-vous ?

Il la vit froncer le sourcil, et il sut qu'elle s'apprêtait à lui annoncer une somme astronomique pour tenter de le dissuader.

Elle cita une somme, en effet. Mais à peine la moitié de ce à quoi il s'attendait. Soit elle était débile, soit les prix pratiqués dans la région défiaient toute concurrence.

— Vendue, dit-il en veillant à ne pas trahir par sa voix la jubilation qu'il éprouvait.

Jubilation ? On aurait vraiment cru qu'il venait de remporter un marché exceptionnel, alors qu'il venait de s'acheter une maison au bout d'un chemin de terre qui, si ça se trouvait, était pleine de termites, de souris et Dieu seul savait quoi d'autre. Et le tout sur un coup de tête qu'il risquait de regretter bientôt.

— Non. Rien n'est vendu, rétorqua la jeune femme d'un ton vif. Je vous ai dit que j'avais changé d'avis. Ecoutez, il faut que je m'assoie. En ce moment je ne peux pas rester debout trop longtemps.

Et elle se laissa tomber sur le canapé avec un soupir de soulagement.

Sans attendre d'y être invité, il prit place dans le fauteuil qui faisait face à la jeune femme.

— Peut-être devez-vous d'abord consulter votre mari ?

— Je n'ai pas de mari.

En voyant le regard de l'homme se diriger vers sa main dénuée d'alliance, Cléo la recouvrit de son autre main.

— Je ne peux porter aucune bague en ce moment parce que je fais de la rétention d'eau et, de toute façon, le fait que je sois ou non mariée ne vous regarde en rien.

— Vous avez raison, excusez-moi. Mais je n'ai pas pu m'empêcher de remarquer que cette maison a manifestement été conçue par et pour un homme. Entre les trophées de chasse et… la taille du fauteuil dans lequel je suis assis en ce moment. J'en ai donc déduit que…

— Eh bien vous n'auriez pas du.

Il leva les mains en signe de reddition.

C'était étrange : il s'attachait à cette maison au fur et à mesure que les minutes passaient. Il possédait pourtant déjà deux autres propriétés en dehors de New York. Toutes les deux décorées par des professionnels, avec du mobilier fait sur mesure et une collection d'œuvres d'art choisies par une amie. Une ex-petite amie, en fait. Elle lui avait facturé une commission faramineuse, sans mentionner tous les cadeaux qu'il lui avait offert pendant les dix-huit mois qu'avait duré leur relation.

Il jeta un coup d'œil par la fenêtre.

— Une camionnette arrive.

Elle ferma les yeux avec un gémissement de lassitude.

— Vous voulez que je m'en occupe ?

Il la regarda s'appuyer sur l'accoudoir du canapé pour se relever. Elle avait les yeux cernés. Elle paraissait vraiment très fatiguée. Fatiguée et si vulnérable.

Et cette constatation le mettait, lui, étrangement mal à l'aise.

Toutes les femmes qu'il avait connues dans sa vie avaient été, toutes sans exception, à peu près aussi vulnérables que des requins. Il avait toujours préféré les femmes fortes, et indépendantes.

— Ce doit être le réparateur de téléphone. Restez assise ici, je vais aller l'accueillir. Et si vous avez des instructions à lui donner, je les lui transmettrai.

En se laissant retomber sur le canapé, Cléo ne put s'empêcher d'éprouver un sentiment de culpabilité : elle se sentait vraiment lâche de laisser un parfait étranger prendre la direction des opérations, mais elle était si fatiguée. Elle avait mal au dos, ses jambes avaient tellement enflé qu'elle ne distinguait plus ses chevilles. Elle ne pouvait presque plus absorber de nourriture sans éprouver des crampes à l'estomac et se sentir oppressée. Et maintenant, alors qu'elle avait tant besoin d'argent pour pouvoir se refaire une nouvelle vie, elle venait de repousser la première offre d'acquisition qu'on lui eût faite pour la maison.

Du moins elle venait d'*essayer* de repousser.

Cela lui coûtait de devoir le reconnaître mais, pour une fois, comme c'était bon de pouvoir se reposer sur quelqu'un…

Dans les premiers mois de leur mariage, Niles et elle avaient décidé de se faire construire ce « coin à eux » dans la campagne profonde, mais tout en restant distant d'une journée de voiture de Richmond. C'était Niles qui avait choisi l'architecte, Niles qui avait décidé du style de la construction, Niles qui avait fait fabriquer le mobilier pendant que Cléo restait en ville pour accompagner sa belle-mère à ses sempiternelles ventes de charité. Elle avait bien sûr protesté, au début, mais elle avait vite compris qu'il s'agissait d'une lutte de pot de terre contre un pot de fer. Et, peu à peu, elle s'était résignée, pour se transformer en une belle-fille docile, en une épouse inconsistante.

Niles avait acheté des trophées de chasse monumentaux, arguant du fait qu'ils impressionneraient les clients qu'il comptait recevoir pour pouvoir faire passer la maison en frais de société. Les aquarelles qu'elle avait peintes au cours de leurs séjours en tête à tête avaient été reléguées dans une chambre d'amis. Niles ne lui avait laissé aménager qu'une seule des ailes — deux chambres d'amis et leurs salles de bains contiguës — et sa belle-mère, lors de sa première et unique visite, avait critiqué ses goûts en matière de décoration et mis en doute sa compétence dans le domaine de l'aquarelle. Pour se venger, Cléo avait réalisé une caricature féroce de sa belle-mère — qu'elle avait aussitôt déchirée — mais cela l'avait défoulée et lui avait même donné un petit sentiment de puissance. Du moins, jusqu'à leur retour à Richmond dans l'immense demeure victorienne qu'ils partageaient avec les parents de Niles.

Elle soupira, allongée sur le vaste canapé dont le cuir collait à sa peau, écoutant d'une oreille distraite l'échange de voix masculines dans la cuisine.

Elle l'avait sûrement laissée en désordre. Elle avait commencé à se faire un sandwich, puis avait tout laissé en plan pour se rabattre sur le pot de crème glacée. Et puis *il* avait débarqué. Elle ne connaissait même pas son nom.

Non pas que cela présente une importance quelconque. D'ailleurs, ces derniers temps, pas grand-chose ne lui semblait très important. Elle passait le plus clair de son temps à faire des allers et retours jusqu'aux toilettes, et le reste, à flotter dans une sorte d'état second, comme si tout allait pour le mieux dans le meilleur des mondes, et que tout était sous contrôle.

Or *rien* n'était sous contrôle. Elle allait accoucher dans six semaines. Elle n'avait plus de maison. Plus de job non plus. Elle avait quitté Richmond sans dire à ses beaux-parents qu'elle était enceinte parce qu'ils auraient aussitôt pris le contrôle de sa vie et de celle de son bébé. Du bébé de Niles. Et tant pis si cela lui rendait l'aspect matériel des choses beaucoup plus difficile, elle refusait de retourner dans le mausolée familial pour se retrouver sous l'emprise de sa terrible belle-mère.

Vesper Barnes était le genre de femme qui, si on lui présentait Dieu le Père, Le croiserait d'un air hautain en Lui demandant d'où venait Sa Famille.

Le père de Niles, Henry, était pire encore. Il souffrait d'un besoin pathologique de tout contrôler. Et tout ce qu'il ne pouvait pas contrôler, il le détruisait. A commencer par son fils Niles, qu'il avait écrasé sans pitié, brisé à jamais en exigeant de lui qu'il devienne quelqu'un qu'il était incapable de devenir.

— Tout est réglé, entendit-elle à côté d'elle.

Elle ouvrit les yeux, surprise. Pour un homme de si haute stature, il se déplaçait de façon bien silencieuse.

— Merci, je lui dois combien ?

— Rien du tout.

— Mais si bien sûr. Quoique… je suppose que cela apparaîtra sur ma prochaine facture de téléphone.

— Il y a de la nourriture sur la table de la cuisine, vous voulez que j'en fasse quelque chose ?

— Pardon ?

Elle se redressa péniblement en position assise. Le sourire qu'il lui adressa était digne d'un séducteur professionnel, mais elle ne se laissa pas impressionner pour autant : côté séducteur professionnel, elle avait déjà donné, merci.

— Je crains devoir interrompre votre déjeuner, expliqua-t-il.

— Pas du tout. Merci de vous être chargé de recevoir le réparateur de téléphone. Ne vous perdez pas sur le chemin du retour. Eh bien… au revoir et bon voyage, ajouta-t-elle en voyant qu'il ne réagissait pas.

Il ne réagit toujours pas, se contentant de la dévisager d'un air imperturbable, ses longues mains élégantes glissées dans les poches de son pantalon, bien campé sur ses pieds chaussés de mocassins sûrement hors de prix.

— Vous… Vous n'avez pas l'intention de partir, n'est-ce pas ? demanda-t-elle d'une voix mal assurée.

Il ne répondit pas, mais lui sourit. On aurait dit un pirate sur le pont de son navire.

Et elle, dans sa robe de grossesse achetée dans un catalogue de vente par correspondance, ses pieds nus gonflés surélevés sur un coussin, de quoi pouvait-elle bien avoir l'air ?

Elle fondit en larmes.

2.

Plus tard ce soir-là, dans le seul motel existant à dix kilomètres à la ronde, Harrison envisagea un moment de régler sa chambre et de retourner à New York. Mais la perspective d'une longue route de nuit l'en dissuada. Il se sentait fatigué par la journée qu'il venait de passer.

Habitué depuis des années à se déplacer avec un chauffeur ou un pilote personnel, il s'était découvert un goût très net pour la liberté qu'apportait le fait de conduire soi-même un véhicule puissant et conçu pour tous terrains. Le fait de pouvoir se rendre où il voulait quand il le voulait.

Oui, il avait découvert la liberté.

Le besoin de contrôler, en revanche, n'était pas pour lui une découverte. Mais c'était l'un des points sur lesquels il travaillait : apprendre à réfréner ce besoin irrépressible de tout contrôler. Apprendre à lâcher la bride. A se relaxer. Même s'il devait procéder par étape : muscle après muscle, cellule grise après cellule grise.

Il avait essayé de réduire son activité, mais cela n'avait pas fonctionné. Il avait essayé de limiter ses heures de présence au bureau, mais n'avait rien pu faire pour limiter son activité cérébrale. On lui avait suggéré la méditation, le yoga, l'une de ses assistantes avait même parlé d'aromathérapie. Dieu seul savait de quoi il s'agissait.

Il avait passé trois semaines à examiner les options possibles, puis il avait contacté l'un de ses principaux concurrents sur la côte Ouest, qui l'avait approché deux ans auparavant pour lui proposer une fusion. Ils avaient passé un mois à négocier un accord susceptible de satisfaire les deux parties, aidés en cela par leurs juristes respectifs.

Il s'était interdit de céder au doute jusqu'à la fin des négociations, et puis ça l'avait frappé tout d'un coup : maintenant qu'il s'était libéré de toutes sources de stress, que diable allait-il pouvoir faire du reste de son existence ? Traîner toute la journée à Central Park à nourrir les pigeons ?

Il avait consacré beaucoup de soins à répartir ses fonds entre différents placements et investissements, sans oublier des dons généreux à quelques organismes de charité. Compte tenu des circonstances, mieux valait mettre les anges de son côté.

Bref, il avait tout réglé. Tout sauf le problème Marla.

Marla Kane. Amie et ex-maîtresse. Elle était allée en Europe pour affaires lorsque Harrison avait pris la route à la recherche de la maison de ses rêves, et il devait avouer qu'il s'en était senti soulagé. Curieux comme un homme habitué à prendre des décisions engageant des centaines de millions de dollars pouvait reculer jusqu'aux limites du possible la prise de décisions personnelles…

Debout devant la fenêtre de son motel perdu, il observait les étoiles en repensant à cette drôle de journée. A la maison au bord de l'eau. A la jeune femme qui l'occupait.

Elle lui avait dit qu'elle s'appelait Cléo Barnes, et quelque chose en elle l'intriguait. Etrange, cela faisait pourtant des lustres qu'il ne s'était pas senti intrigué par une femme. Et en tout cas jamais par une femme comme Cléo Barnes qui, outre le fait d'être enceinte et apathique — ceci expliquant peut-être cela — ne lui paraissait pas très brillante non plus.

Difficile à cerner en revanche. Oui, décidément, quelque chose en elle intriguait Harrison. Il aurait sans doute dû rester auprès d'elle un moment, jusqu'à ce qu'elle retrouve son calme. Mais, quand elle avait fondu en larmes, il s'était senti pris de panique.

Il détestait les larmes. Il se sentait toujours gêné lorsqu'une femme se mettait à pleurer. Toute démonstration lui était toujours apparue comme un signe de faiblesse ou, de la part d'une femme, comme l'indication qu'elle attendait quelque chose de lui. Par ailleurs, dans le cas de Cléo Barnes, peut-être ne s'agissait-il que d'un simple déséquilibre hormonal dû à la grossesse. Bref, il s'était senti très gêné, alors, au lieu d'essayer de la consoler, il lui avait trouvé une boîte de mouchoirs en papier, avait marmonné quelque chose à propos du fait qu'elle n'avait pas besoin de le raccompagner, puis il était parti en la laissant là, en larmes, sur le canapé de ce salon beaucoup trop vaste pour elle. Seule et enceinte.

Il s'était tout de suite rendu à l'agence, avait signé une option d'achat, puis avait éprouvé un terrible sentiment de culpabilité. Jusqu'à son arrivée au motel.

« Enfin, mon vieux, qu'est-ce qui te prend ? Cette maison était à vendre, tu l'achètes, point. Inutile de sombrer dans un sentimentalisme de midinette. Voilà où ça peut mener de suivre ces régimes draconiens : ça change complètement le caractère d'un homme. »

Il sortit un cigare de la poche de sa veste, huma l'arôme riche du tabac de La Havane, et le remit dans sa poche. Comment diable aurait-il pu savourer son unique cigare de la journée avec, à l'esprit, l'image de la jeune femme lorsqu'elle lui avait ouvert la porte ? Toute rose, innocente, la peau fraîche, et sans artifices. Avant même qu'il n'eût ouvert la bouche, le regard de ses grands yeux bruns lui avait déjà dit deux choses : premièrement qu'elle avait peur. Et, deuxièmement, qu'elle avait à peu près autant envie de le recevoir que de se jeter dans l'eau encore glacée de la rivière.

Une fois à l'intérieur, il avait d'abord pensé à lui tendre une de ses cartes professionnelles pour se présenter, puis s'était ravisé : elles ne correspondaient plus du tout à l'homme qu'il était devenu.

Il ressortit le cigare de sa poche. Cette fois-ci, il en coupa l'extrémité, l'alluma et en tira une bouffée, exhalant un nuage de fumée odorante avant de l'éteindre.

Il était donc devenu un *ex*-industriel. Un homme en cours de mutation identitaire.

Ce processus de mutation avait commencé, environ deux ans plus tôt, lorsqu'il avait reçu une lettre l'informant qu'il venait d'hériter d'une propriété quelque part en Caroline du Nord. Comme à l'époque il luttait pour repousser une OPA hostile, il avait transmis la lettre à son conseiller juridique et avait aussitôt oublié son existence. Jusqu'au jour où, quelques mois plus tard, immobilisé sur son lit d'hôpital, relié à des appareils de monitoring par une multitude de tuyaux en se demandant s'il allait pouvoir sortir de là vivant, il avait repensé à cette histoire d'héritage.

Son accident lui avait fait prendre conscience de la fragilité de la vie, et ça lui avait flanqué une sacrée frousse.

Son cardiologue s'était montré très clair : s'il ne voulait pas mourir d'une crise cardiaque encore plus tôt que son propre père, il allait *tout* devoir changer de façon drastique. Il avait dressé un bilan complet des habitudes alimentaires et du mode de vie d'Harrison. Avait supprimé ses précieux cigares en n'en autorisant plus qu'un seul par jour, interdit bière, alcools en général et vin blanc, pour ne conserver que le vin rouge, et en quantité très modérée.

— Imaginez-vous votre pression artérielle comme une grenade dégoupillée, cela vous aidera sans doute à supporter les privations. Que pratiquez-vous comme sport ?

— J'ai pas mal skié, mais ça fait un bail que je n'en ai plus le temps. Je faisais partie de l'équipe de natation de mon Université, mais là aussi je manque de temps. Bref, aujourd'hui, je me limite à la marche. Si toutefois on peut considérer qu'arpenter de long en large un bureau de la taille d'un gymnase peut se traduire en kilomètres parcourus.

— Bien, admettons. Et génétiquement, vous avez dans votre famille, à part votre père, des antécédents de problèmes cardiaques ?

— Mon père n'a jamais eu de « problèmes cardiaques ». Il a fait une seule et unique attaque dont il est mort.

— A l'âge de quarante-sept ans, m'avez-vous dit. Et vous-même avez… trente-sept ans. Bon, eh bien, mon ami, on va tâcher de vous éviter de connaître le même sort. Nous allons procéder à tous les examens nécessaires.

Et on l'avait bardé de tant de fils multicolores qu'il ressemblait à un arbre de Noël. Puis on l'avait relâché en lui ordonnant de jeter l'éponge sur le plan professionnel, et de commencer très sérieusement à apprendre à se *relaxer*.

Rentré chez lui, il s'était enfermé dans son bureau, avait débranché les téléphones et donné des ordres pour qu'on ne le dérange sous aucun prétexte.

Il avait coupé un cigare mais ne l'avait pas allumé. Il s'était versé un whisky mais n'y avait pas touché. Il était resté là, immobile, à regarder sans les voir les gratte-ciel qui dentelaient l'horizon, jusqu'aux premières heures de l'aube.

Il avait étudié les choix qui s'offraient à lui. Si toutefois on pouvait encore parler de choix. Soit il vendait tout et quittait New York, soit il restait en conservant le même décor, mais en mettant un sérieux frein à son activité. Donc en changeant son comportement du tout au tout.

Il n'avait jamais beaucoup aimé les compromis ni les demi-mesures, mais il pouvait toujours essayer.

Moins d'une semaine plus tard, l'un de ses plus proches amis était tombé mort au beau milieu d'une réunion du conseil d'administration de sa société. Et là, tout à coup, Harrison avait pris la pleine mesure du problème.

C'était cette question « d'héritage génétique » qui avait réveillé son intérêt pour l'héritage qui lui était tombé du ciel et auquel il n'avait d'abord accordé aucun intérêt.

La famille n'avait jamais été pour lui qu'un concept abstrait. Fils unique, il avait été élevé par un père distant, débordé de travail, et par une mère névrosée. Il ne lui avait jamais traversé l'esprit de s'intéresser aux générations précédentes pour savoir par exemple — comme le lui avaient demandé les médecins — si l'un d'eux avait aimé la bière mexicaine ou les cigares cubains, ou si un autre avait été allergique au champagne ou aux noix de cajou. Pris d'une impulsion subite, il avait envoyé Perry Edwards, l'un de ses trois assistants personnels, en Caroline du Nord avec mission de localiser la propriété, d'en étudier les possibilités, et de revenir aussi vite que possible.

Le rapport ne s'était pas fait attendre. Du bois — en grande quantité — du coton, du soja, et des pommes de terre. Pas d'industrie. Le rapport mentionnait également un bâtiment d'habitation quelque part sur la propriété.

Il avait conservé ces informations dans un coin de son esprit pendant qu'il liquidait ses affaires. Lorsqu'il avait enfin pris la route pour la Caroline du Nord, il élaborait déjà des plans d'exploitation.

Le premier jour, il s'était installé dans le motel dont Perry lui avait donné les coordonnées, et avait passé des heures à étudier les papiers ayant trait à son fameux héritage : acte notarié, relevé de cadastre, etc.

Le deuxième jour, il avait engagé un guide pour se faire montrer en quoi consistait l'héritage en question. Il était rentré le soir au motel fatigué, désenchanté, près à admettre la défaite : ce qui, au début, avait effectivement compris de vastes étendues de forêts et de fermage, avait rétréci au fil des ans. Après plusieurs démembrements au cours des générations successives, et après que différentes autorités écologiques ont eu classé en zones protégées d'importantes portions du territoire restant pour préserver la faune locale, il ne restait guère que des marais. Et la valeur commerciale des marais restait encore à démontrer.

Quant à la maison, il s'agissait d'un amas de ruines sans intérêt dont la splendeur initiale avait depuis longtemps succombé d'une part à la végétation et, d'autre part, aux générations de chasseurs et de trappeurs qui y avaient bivouaqué.

Au moins, il avait appris d'où il venait. Le notaire local, un personnage truculent répondant au nom de Catfish et doué d'un réel talent de conteur, l'avait régalé d'anecdotes concernant la dynastie des Lawless qui avaient peuplé la région. Il comprenait maintenant pourquoi son père ne les avait jamais mentionnés.

Harrison avait toujours cru qu'il descendait d'une lignée d'hommes dans le genre de son grand-père, qui avait fondé une société d'investissements et une chaîne hôtelière. Or, la plupart de ses ancêtres avaient été des fermiers ou des pêcheurs. Quelques-uns étaient devenus architectes navals. Et si l'un avait été nommé sénateur, un autre en revanche était mort en prison !

Bien sûr, il fallait se faire à l'idée, mais cela l'amusait plutôt qu'autre chose. Et puis cela éclairait d'un jour nouveau sa quête d'une nouvelle identité.

Comme il lui restait du temps à perdre, il avait décidé de baguenauder dans les environs, et avait passé une journée entière à se promener autour de la petite ville de Columbia, construite sur une boucle de la rivière Scuppermond. Il avait admiré la minuscule marina, les cottages datant du siècle précédent, et s'était peu à peu pénétré de ce rythme de vie lent et paisible. Sur le chemin du retour vers son motel, fatigué, affamé — mais plus détendu qu'il ne se souvenait l'avoir été depuis des années —, il avait suivi son instinct et atterri dans une petite rôtisserie. On lui avait servi une superbe grillade au feu de bois qu'il avait dévorée à belles dents… avant de se rappeler les consignes strictes du cardiologue. Avec un haussement d'épaules fataliste, il s'était pardonné cette incartade, et avait allumé son cigare de la journée. Repu, satisfait, il avait dégusté ce cigare avec une sensation de bien-être et de sérénité qui lui donna à réfléchir.

Peut-être, après tout, pourrait-il survivre agréablement en appliquant les restrictions que lui imposait le corps médical. Très agréablement même.

En fait, il s'agissait de restreindre plutôt que de supprimer. D'appliquer en toute chose un principe de modération : régime modéré, activités physiques modérées.

Soit, il pouvait donc rester quelques jours de plus. Les habitants du coin semblaient amicaux. Oui, à tout prendre, il serait aussi bien ici le temps de réfléchir à ce qu'il allait faire du reste de sa vie.

On lui avait fait plusieurs propositions avant qu'il ne quitte l'hôpital : on lui avait offert de venir se reposer dans un ranch du Nouveau-Mexique, dans une villa du Sud de la France, et même dans un palais à Florence.

Le problème étant que toutes ces propositions émanaient de femmes avec lesquelles il avait à un moment ou à un autre vécu une relation amoureuse. Ceci prouvant que, même aux portes de la mort, on le considérait encore comme un mari potentiel très recherché. N'avait-il pas été élu par la revue « Prominence Magazine » comme l'un des célibataires les plus convoités de la planète ?

Comment la journaliste l'avait-elle baptisé ? Ah oui : le « Prince Pirate ». En toute simplicité ! Il supposait devoir le qualificatif de « pirate » à l'aspect conquérant de sa carrière, et le titre de « prince » de son père : Kingston Lancaster Lawless, surnommé « King » par ses ennemis et ses quelques amis. Celui-ci avait hérité de son propre père plusieurs millions de dollars qu'il avait transformés en milliards avant de périr d'une crise cardiaque, laissant derrière lui une riche veuve qui avait porté le deuil pendant trois semaines complètes, et un fils déterminé à ne surtout pas suivre les traces de son père.

Après avoir brillamment obtenu un diplôme à Harvard, Harrison avait poursuivi ses études au MIT, couronnées, là aussi, de diplômes prestigieux, avant de construire son propre empire.

Et de se retrouver là où il se trouvait en ce moment : en train de repartir de zéro.

Curieux, l'idée ne lui paraissait pas aussi décourageante qu'elle l'avait été quelques jours plus tôt. Grâce sans doute à l'excellent dîner qu'il venait de faire. Grâce aussi au plaisir d'avoir parcouru la région à sa guise, à son rythme. Sans horaire, sans secrétaire pour lui rappeler d'incessantes obligations.

Se sentant à la fois détendu et ragaillardi, il s'étira sur le lit trop étroit et trop dur du motel et entreprit de revoir son plan d'action.

Première chose sur la liste : acheter la propriété qu'il avait visitée. Le prix lui convenait et il était passé à l'agence mettre une option d'achat. Il doutait que la jeune Mme Barnes ose contester le contrat qu'elle-même avait signé. Et il n'allait pas non plus lui expliquer comment elle aurait pu se désister.

Deuxième étape : envoyer chercher le mobilier qu'il avait confié au garde-meuble. Mieux encore, s'enquérir auprès de l'agence du mobilier inclus dans la vente — s'il existait — et compléter ensuite en fonction de ce qui pourrait manquer. Du moment qu'il avait un lit king size équipé d'un bon matelas et un bureau assez vaste pour installer ses ordinateurs, le reste pourrait attendre.

Ensuite : engager une employée de maison qui puisse à la fois lui cuisiner ses repas et entretenir la demeure. Le docteur avait prescrit des restrictions alimentaires, il n'avait jamais parlé de mourir de faim dans des conditions misérables.

Ce qui le menait au quatrième point : Marla. Il allait l'inviter à venir visiter la propriété. Depuis sa sortie de l'hôpital, il avait lu beaucoup d'ouvrages sur le stress, et avait ainsi appris que les hommes mariés avaient un taux de survie bien supérieur aux autres. Les chiffres des statistiques auraient pu à eux seuls tripler le nombre des mariages et éradiquer d'un seul coup celui des divorces : à en croire les experts, les hommes divorcés avaient vingt et une fois plus de chances de séjourner en hôpital psychiatrique, deux fois plus de chances de mourir d'un accident cardiaque, quatre fois plus de chances de faire une pneumonie, et sept fois plus de chances de se suicider.

D'où la nécessité *impérative* de se trouver une épouse.

De toutes les femmes qu'il avait fréquentées, Marla lui apparaissait comme la meilleure candidate. Intelligente, belle et pleine de ressources, elle n'était pas retenue à New York par une carrière trop prenante. Il ne se rappelait pas d'elle comme d'une obsédée sexuelle, et tant mieux : il ne pouvait de toute façon plus se permettre ce genre de fantaisie.

Note : se renseigner sur les risques inhérents à l'activité sexuelle après un accident cardiovasculaire.

Marla avait eu un fils de son premier mariage. Richard… Robert… Bref, quelque chose commençant par un R. Harrison n'avait jamais rencontré l'enfant qui passait la plupart de son temps en pension, ou avec son père. Mais cela n'avait pas d'importance.

Les enfants venaient en cinquième point sur la liste. Un fils d'abord, une fille environ trois ans plus tard si tout allait bien. Avec le petit Radley, Richard, Robert, ou Dieu seul sait quoi, cela lui permettrait d'atteindre les deux et quelque pour cent de la moyenne nationale.

Note : faire établir par sa secrétaire la liste des écoles de la région.

Note bis : allons mon, vieux, plus de secrétaire. Maintenant tu dois te débrouiller tout seul comme un grand.

Bon, eh bien il allait essayer de gérer.

Il bâilla. Plutôt bon signe. Dans l'ensemble il se sentait assez content de la drôle de situation dans laquelle il se trouvait. Que de coïncidences pour en arriver jusque-là ! D'abord l'héritage, qu'il avait failli oublier. Ensuite la crise cardiaque, qui avait entraîné un changement drastique de son style de vie. Le fait que la maison située sur la propriété dont il avait hérité fût inhabitable. Le fait que, pour occuper son temps libre, il eût décidé de visiter les environs. Le fait qu'il eût bifurqué au hasard dans un chemin de terre. Le fait qu'il eût aperçu le panneau « à vendre » au fond de cette crique paisible et ravissante.

Que de coïncidences, vraiment.

Il avait lu un jour des statistiques sur les coïncidences et appris qu'en fait elles se produisaient beaucoup plus souvent que ce que l'on pense.

Intéressant, se dit-il en bâillant de nouveau. Bien, revenons à notre programme. Etape suivante : pousser hors de son nid une jeune femme enceinte. Non pas que cette perspective le réjouisse le moins du monde, mais c'était inévitable. Pour le propre bien de l'intéressée : après tout, elle avait elle-même mis sa maison en vente. Ce qui signifiait, soit qu'elle voulait vendre, soit qu'elle avait *besoin* de vendre, soit les deux à la fois. Si elle avait paru revenir sur sa décision, c'était sans doute parce qu'il l'avait prise au dépourvu, à un mauvais moment.

Ou peut-être que c'était juste un truc de femme enceinte. Comme les envies de fraises en plein hiver ou le goût immodéré pour les choses acides. Bref, quel que fût le problème de cette jeune femme, il allait lui permettre de le résoudre calmement maintenant qu'il avait signé une option et versé à l'agence un premier acompte.

Rien ne pressait.

Etape suivante…

Au beau milieu de son programme, Harrison Lawless, ex-industriel insomniaque, sombra dans le sommeil.

Cléo se trouvait sous sa douche le lendemain matin lorsqu'on frappa à la porte d'entrée. Le visiteur ou la visiteuse frappait peut-être depuis des lustres, mais avec le bruit de l'eau qui coulait, elle n'avait rien pu entendre.

Elle s'essuya rapidement le visage et les parties de son corps qu'elle pouvait encore atteindre avec son drap de bain, enfila une longue robe trapèze en jean délavé et se hâta pieds nus jusqu'à la porte d'entrée.

Appuyé au chambranle, découpé en ombre chinoise par le soleil qui brillait derrière lui, son visiteur de la veille lui souriait.

— Désolé, je ne voulais pas vous déranger.

Elle l'avait attendu. Elle avait craint sa venue. Elle aurait tellement aimé pouvoir se pelotonner de nouveau dans son cocon confortable. Alors qu'elle savait qu'elle venait de se faire prendre à un piège qu'elle avait elle-même fabriqué.

L'agence avait appelé la veille au soir pour lui dire qu'ils avaient trouvé un acheteur sérieux pour sa propriété. Que celui-ci avait accepté toutes ses conditions et versé un premier acompte. Après avoir raccroché, elle avait fondu en larmes de nouveau, avait maudit d'abord son acheteur, puis elle-même, et avait fini le dernier pot de crème glacée qui restait dans le congélateur. Cela n'avait hélas rien changé au problème.

Elle inhala le parfum d'after-shave et de coton fraîchement repassé et recula d'un pas.

— Vous ne m'avez pas dérangée, dit-elle avec un soupir résigné. Entrez, je vous en prie.

3.

En tacticien confirmé, Harrison décida de laisser la jeune femme prendre l'offensive. Il s'installa dans son fauteuil et attendit.

— Dites-moi la vérité, demanda-t-elle enfin avec un regard accusateur, vous vouliez acheter ma maison quel qu'ait été le prix que je pouvais en demander, n'est-ce pas ?

— Le prix que vous en demandiez m'a semblé raisonnable.

— Vous n'en saviez rien, vous ne connaissez même pas les prix pratiqués dans la région. La responsable de l'agence immobilière m'a dit qu'elle n'avait jamais entendu parler de vous avant que vous ne débarquiez hier soir pour dire que vous vous portiez acquéreur.

Harrison demeura impassible.

— Vous avez agi de propos délibéré, reprit la jeune femme, tout en sachant pertinemment que j'avais changé d'avis.

— C'est votre approche des choses. Nous avons déjà discuté hier du fait que vous aviez donné un mandat à cette agence, n'est-ce pas ?

Elle hocha lentement la tête, puis fronça le sourcil. Et Harrison remarqua que, même plissé de contrariété, son visage gardait cette fraîcheur rosée qu'aucun maquillage n'aurait pu obtenir. Mais, conditionné par le monde des affaires à ne jamais faire aucun commentaire susceptible d'être interprété comme une avance — et donc passible d'une accusation de harcèlement sexuel —, il s'abstint de lui en faire compliment.

— Vous avez mentionné en revanche le fait que vous aviez signé votre contrat il y a cinq jours — son regard descendit vers le ventre de Cléo, rendant parfaitement claire son association d'idées —, puis-je vous demander pourquoi vous avez attendu la dernière minute ?

— Non, vous ne le pouvez pas, rétorqua-t-elle d'un ton vif. Elle essaya de se radoucir pour continuer : le bébé n'est pas censé naître avant six semaines. Ça me laisse largement le temps. Mais… régler la succession a pris plus longtemps que je ne l'aurais cru.

La succession… Il leva un sourcil interrogateur pour l'encourager à poursuivre. Avait-elle perdu son père, son mari ?

Son mari. Il parierait qu'elle était veuve.

Il murmura de vagues condoléances et attendit. Dix secondes, vingt secondes. Au moment où il atteignait les trente secondes, elle prit une profonde inspiration.

— Eh bien, en fait, vous voyez…

Il se rappela son étonnement lorsqu'il avait vu l'ample chemise de nuit mise à sécher dehors, mais en observant la jeune femme, il se rendait compte qu'à part son ventre très proéminent, c'était plutôt une femme menue. Avec une ossature fine, et des mains et des pieds qui en temps normal ne devaient pas être gonflés par la rétention d'eau — il était devenu incollable sur les problèmes de rétention d'eau depuis qu'on l'avait obligé à fréquenter des diététiciennes, et compatissait sincèrement au problème des femmes enceintes dans ce domaine précis.

Il revint sur ce que la jeune femme lui disait.

— On pourrait croire qu'un avocat aurait pris ses dispositions, mais non. Je suppose qu'il se jugeait trop jeune pour rédiger un testament. Bref, nous étions mariés sous le régime de la communauté réduite aux acquêts.

— Je vois.

— Mais tout prend tellement plus de temps que je ne l'aurais cru.

— Quand vous dite « tout », je présume que vous ne faites pas référence au bébé ?

— Non bien sûr. Je parle des C.V. à rédiger, à envoyer, mais surtout de tout ça…, ajouta-t-elle en balayant d'un geste du bras la pièce dans laquelle s'amoncelaient plusieurs cartons de déménagement à moitié pleins. Je me suis laissée un peu dépasser par les événements, et maintenant je ne suis même pas certaine d'arriver à terminer ce que j'ai commencé. Tout trier, décider de ce que je veux garder ou non, tout emballer, trouver un autre endroit où m'installer. Je vous assure que ce n'est pas du tout aussi simple que cela en a l'air. Et puis, il y a une cane qui a construit son nid au bord de l'une des mares, et je dois absolument la protéger des serpents.

Harrison en avait assez entendu. Les souris, les insectes en tout genre, il pensait qu'il pouvait vivre avec. Mais les serpents, il ne voulait pas en entendre parler. Il commença à se lever pour partir.

— Vous savez, ils ne se nourrissent que des œufs et des bébés canards. Bien sûr, je comprends que les serpents doivent se nourrir pour vivre eux aussi, mais je surveille le nid depuis que je suis arrivée et je suis presque certaine que c'est la même cane qui était déjà venue nicher ici quand — elle poussa un gros soupir, comme si elle avait perdu le fil de ses pensées, puis elle reprit et continua — bref, je ne pourrais pas supporter que quelque chose arrive à ces bébés pendant que je peux l'empêcher.

Harrison se réinstalla dans son fauteuil. Dans toute cette histoire, quelque chose avait attiré son attention.

— Alors vous n'habitez pas ici à plein temps ?

— Bien sûr que non. Cela fait près de trois ans que je n'étais pas venue. Sans doute la raison pour laquelle j'ai trouvé la maison tellement en désordre. Au début nous venions plusieurs fois par an, mais Niles — mon mari — en avait de plus en plus souvent besoin pour ses relations d'affaires.

— Je vois…, murmura Harrison, qui voyait des tas de choses qu'elle aurait préféré qu'il ne voie pas. Des choses qu'elle ne voyait sans doute même pas elle-même.

— Enfin bref, vous comprenez pourquoi je ne peux pas vendre maintenant.

— Parce que vous craignez qu'un serpent ne mange quelques œufs ?

— C'est de la dérision gratuite, monsieur Lawless, et je ne…

— Harrison, je m'appelle Harrison. Et vous c'est Cléo, n'est-ce pas ?

Il l'avait lu sur l'option d'achat qu'il avait signée à l'agence immobilière.

— Euh… Oui. Bref, je n'ai pas changé d'avis à cause d'un serpent, j'ai changé d'avis parce qu'il y a beaucoup plus à faire que je ne l'avais cru et parce que je dois décider de ce que je garde et de ce que je jette. Sans parler du nombre de fois où je dois me pencher, ce qui m'est devenu très difficile. Et tout ça prend du temps et de l'énergie, et je crains…

Elle écarta de son front une mèche de cheveux. Son visage était rouge, sa respiration semblait saccadée.

— Etes-vous sûre que vous vous sentez bien ? demanda Harrison, soudain inquiet. Il se pencha pour lui toucher le front, et elle lui parut fébrile.

A en juger par son mouvement de recul, elle fut aussi surprise par ce geste qu'il le fut lui-même. Il n'était pas du tout dans ses habitudes de « toucher » les gens, et encore moins des étrangers.

— Je vais bien, merci, dit-elle, mais le ton de sa voix trahissait sa fatigue et son découragement. Ce doit être la chaleur, poursuivit-elle. En général, je ne mets jamais l'air conditionné avant juin, mais... — Elle se mordit la lèvre inférieure — je dors mal en ce moment. Je passe mes nuits à penser à des tas de choses, conclusion je n'arrive pas à me concentrer sur quoi que ce soit pendant la journée et — elle s'arrêta net, et un sourire malicieux éclaira son visage — et dire que je ne supporte pas les gens geignards. Je suis désolée. Je vous assure que d'habitude, je ne me plains jamais, mais ces derniers temps... je me sens complètement vidée d'énergie. Si je le pouvais, la seule chose que je ferais serait de m'étendre dans un hamac sous la véranda pour passer mes journées à observer les oiseaux.

Harrison connaissait bien cette réaction, qui apparaît lorsqu'on nie la réalité, qu'on essaye de la fuir. Mais il savait aussi que cela ne suffisait pas à changer cette situation.

— Passer mes journées à observer les oiseaux... oui, je suppose que je ferai ça moi aussi quand je m'installerai ici.

— Mais vous n'allez *pas* vous installer ici.

Il ne prit pas la peine de relever. A quoi bon ? Le poisson était ferré. Il fallait juste lui laisser un peu de ligne.

— Ecoutez, je vous ai dit et répété que j'avais changé d'avis. Je ne suis pas *du tout* prête à déménager.

— Je crains que les choses ne soient un peu plus complexes, dit-il d'une voix douce. Voyons si ne nous pourrions pas négocier un...

Elle sursauta, grimaça de douleur et appuya ses mains sur les côtés de son ventre distendu.

Allons, ma belle, vous n'allez tout de même pas accoucher maintenant. Ce serait plutôt déloyal comme moyen de pression.

— Quelque chose... ne va pas ? demanda-t-il en indiquant son ventre.

Elle inspira à fond, puis le gratifia d'un sourire radieux.

— Elle sera danseuse étoile, alors bien sûr il faut qu'elle commence l'entraînement très tôt, vous savez ce que c'est.

Non, il ne savait pas. Et il ne voulait surtout pas savoir.

— Y a-t-il quelqu'un que vous puissiez appeler ?

— Inutile d'appeler qui que ce soit, je vous ai déjà dit que l'accouchement n'est pas prévu avant six semaines.

— Bien. Cela suffit largement pour que nous puissions tous les deux parvenir à un accord.

Il s'adossa au dossier de son fauteuil et attendit sa réaction. C'était loin d'être la première femme avec laquelle il discutait affaires. Quelques-unes de ses interlocutrices lui avaient semblé encore plus redoutables que leurs homologues masculins. Sans doute parce qu'elles avaient dû s'endurcir pour arriver à leurs postes. Celle-ci, en revanche, le déroutait complètement.

Il ne possédait tout simplement pas le mode d'emploi. Elle ne réagissait pas du tout de la façon dont n'importe quelle femme sensée aurait pu réagir. Par ailleurs, aussi étrange que cela pût paraître, il se rendait compte que ce face-à-face ne lui déplaisait pas.

Il tenta une manœuvre de diversion.

— La cheminée tire bien ?

— La cheminée ? Euh… dans le temps oui. Je suppose qu'elle fonctionne toujours aussi bien. Dites-moi, vous avez demandé à l'agence de vous montrer d'autres propriétés ? Je suis certaine que Mme Dunn, la responsable, pourrait vous trouver quelque chose de génial. Peut-être même une propriété sur la mer. Ce serait sympa, non ?

— Merci, répondit-il d'une voix douce, mais j'ai déjà trouvé ce que je cherchais.

Il attendit un moment qu'elle eût enregistré le message.

Il ne tenait pas du tout à lui causer davantage de stress qu'elle n'en supportait déjà. Ce dont cette jeune femme avait besoin, c'était d'une vente rapide, sans complications, de façon à pouvoir aller ailleurs pour accoucher tranquillement, débarrassée des souris, serpents, canards, et autres bestioles. En somme, il lui rendait un grand service en l'empêchant de rompre le contrat qu'elle avait signé.

— Madame Barnes, vous ne semblez pas apprécier le fait que j'ai accepté le prix que vous m'avez demandé ainsi que tous les termes de votre contrat, et que je suis par ailleurs prêt à accepter tous les coûts supplémentaires qui pourraient se révéler nécessaires.

— Ah oui ? s'exclama-t-elle d'un ton vindicatif. A propos justement : comment se fait-il que vous n'ayez même pas essayé de discuter mon prix ? Drôle de façon de débarquer comme ça chez les gens pour décréter qu'on veut acheter leur maison.

— Puis-je me permettre, commença Harrison d'un ton suave, de vous rappeler la présence de la pancarte « A vendre » que vous aviez installée devant la maison ? Si vous aviez écrit « Entrée interdite » sur votre pancarte, je ne me trouverais pas ici en ce moment.

Il la regarda froncer le sourcil et se mordre la lèvre inférieure, signe chez elle d'une intense concentration... ou d'une évasion dans ses rêves.

— Cléo ? murmura-t-il lorsqu'une minute complète se fut écoulée sans qu'elle n'eût répondu.

— Qu'est-ce que je disais ? Ah oui : drôle de façon de débarquer chez les gens et de déclarer qu'on achète sans même connaître le prix demandé. C'est de la folie ! J'aurais pu baisser mon prix, qui sait ?

— Vous l'auriez baissé ?

Elle se mit à triturer un fil qui dépassait de la poche de sa robe.

— Je ne sais pas. Je suppose que si vous étiez venu juste après qu'ils ont mis la pancarte, avant que je décide de ne pas vendre…

— Le problème, voyez-vous, c'est que vous n'aviez pas retiré la pancarte et que vous n'aviez pas non plus averti l'agence immobilière que vous aviez changé d'avis. Dites-moi, Cléo, vous savez à quoi vous engage la signature d'un contrat ?

— Mon mari était avocat, mon beau-père avocat, son frère également, bien sûr que je le sais.

— Et pourtant vous vous apprêtiez, sur un simple coup de tête, à risquer une poursuite judiciaire pour rupture de contrat ? demanda-t-il, tout en sachant que jamais il n'irait si loin.

— Il ne s'agit pas du tout d'un « simple coup de tête » comme vous dites. C'est juste que — Oh, pourquoi ne pouvez-vous pas disparaître purement et simplement ?

— J'ai une bien meilleure idée : pourquoi est-ce que je ne vous préparerais pas quelque chose de frais à boire ? J'ai l'impression que cela vous ferait le plus grand bien. Que préférez-vous : un jus de fruits ? du lait ?

— Eh bien… Peut-être un verre de thé glacé.

Elle s'était allongée de nouveau. Il commençait à s'habituer à sa façon de fonctionner : d'abord s'asseoir, ensuite s'allonger, monter une jambe sur le canapé, puis l'autre. Et enfin fermer les yeux et croiser les bras sur son ventre avec un profond soupir.

Il avait aussi compris qu'avec un centre de gravité aussi perturbé que le sien, elle allait rencontrer de sérieuses difficultés à se relever.

— Parfait, alors un thé glacé. Vous ne voulez rien manger ? Qu'avez-vous pris au petit déjeuner ?

— Un peu de glace.

— Vous devriez vous nourrir mieux, dit-il en se dirigeant vers la cuisine, n'oubliez pas que vous mangez pour deux maintenant.

En s'entendant énoncer de telles platitudes, il ne put s'empêcher de lever les yeux au ciel : franchement, il devenait grotesque. Voilà où ça menait de suivre un régime trop restrictif.

— Vous êtes médecin ou juste obsédé par la diététique ? demanda la jeune femme derrière lui.

— Tout le monde aujourd'hui est devenu obsédé par la diététique à un degré ou à un autre. Je crois même qu'on a créé au gouvernement un poste spécial pour les problèmes de nutrition. Bon, nous disions donc… ça vous dirait un bol de céréales ?

— Oui, avec une boule de glace dessus.

— Euh… Pourquoi pas ?

— Vous trouverez les glaces dans le tiroir du haut du congélateur et les céréales dans le troisième placard à droite au-dessus du plan de travail. Ah… et les bols dans le lave-vaisselle. J'espère que la vaisselle a été lavée mais… appelez-moi dans le cas contraire.

Harrison se sentait un peu honteux d'utiliser ainsi la nourriture pour vaincre les défenses de l'adversaire. Oh, il avait souvent invité des femmes à dîner pour arriver à ses fins, mais là, c'était *très* différent. Le sexe n'était même pas envisageable : non seulement cette jeune femme était enceinte jusqu'aux yeux, mais en plus elle n'était pas du tout son genre : bohème et désordonnée, pour ne pas dire souillon, elle avait surtout un besoin urgent d'une bonne femme de ménage.

Il trouva les céréales à l'endroit indiqué, et, après avoir constaté que le lave-vaisselle — plein — n'avait pas été mis en route, un bol propre dans un autre placard.

Il lui porta le tout, boule de glace comprise, sur un plateau, et l'aida à s'asseoir, troublé au passage par son parfum si frais et si « nature » de savon et de shampoing.

Il partit dans la cuisine se préparer un café, tout en remarquant pour lui-même que sa notion des parfums aphrodisiaques avait elle aussi évolué. Décidément, chez lui, tout semblait complètement chamboulé !

Il se fit réchauffer une tasse du café qui restait dans la cafetière électrique et retourna dans le salon.

— Vous vous sentez mieux à présent ? demanda-t-il à Cléo, amusé malgré lui par l'air de béatitude rêveuse avec lequel elle savourait sa glace.

— Humm…, répondit-elle avec un sourire gourmand.

C'était la première fois qu'elle souriait vraiment, et la fraîcheur radieuse de ce sourire laissa Harrison un instant sans voix.

Il but une gorgée de son café et fronça le sourcil, moitié pour se donner une contenance, moitié parce qu'il trouvait le café infect.

— Bien, si nous revenions à des considérations bassement matérielles ?

— Est-ce vraiment nécessaire ?

Il ne répondit pas, mais sortit son chéquier de sa veste, ouvrit son stylo et attendit.

— Je croyais que vous deviez vous arranger avec l'agence ? C'est la première fois que je me trouve dans cette situation mais… vous n'êtes pas supposé me donner d'argent à moi.

— Non, je passerai bien sûr par l'agence, mais nous pouvons choisir le mode de paiement que vous préférez. La totalité au comptant — avec les problèmes de taxation qui en découleront automatiquement — ou bien un paiement par mensualités avec des taux annuels, soit fixes, soit ajustables. A vous de choisir.

Harrison se sentait un peu gêné de se montrer aussi requin en affaires, et espérait que cela ne transparaissait pas trop sur son visage.

— Peut-être un apport financier immédiat vous semblerait-il préférable, compte tenu de la naissance à venir ?

46

Ça, Lawless, cela s'appelle frapper en dessous de la ceinture.

Il ne faisait aucun doute que l'aspect financier de l'affaire préoccupait la jeune femme. Et elle ne lui paraissait ni compétente ni dans les meilleures conditions pour s'occuper seule de ce genre de chose. Pourquoi son beau-père avocat ne l'aidait-il pas à gérer ses intérêts ? Peut-être devrait-il le lui suggérer ?

Peut-être au contraire ferait-il mieux de se taire. Après tout, ce n'était pas sa faute à lui si elle avait mal calculé son timing. Il s'agissait d'une négociation d'affaires qu'il traitait en homme d'affaires. Cette jeune femme possédait un bien qu'elle avait mis sur le marché et qu'il souhaitait acquérir, point final.

— S'il vous plaît, vous pourriez aller me rechercher encore un peu de glace ?

Elle lui tendit son bol. De toute évidence, l'observation des canards ne constituait pas son unique exutoire. La consommation de crème glacée suivait de très près.

— Il n'en reste presque plus, pourquoi ne la gardez-vous pas plutôt pour le déjeuner ? Nous avons encore quelques détails à mettre au point avant que vous ne puissiez vous remettre à vos rangements pendant que je gère les formalités.

Il détestait la paperasserie, et il se rendait soudain compte que, pour la première fois depuis des années, il allait devoir s'en occuper seul au lieu de remettre le dossier à son département juridique comme il l'avait toujours fait.

Cléo replaça son bol vide sur la table basse déjà très encombrée, à côté de la tasse de café qu'Harrison Lawless n'avait pas touchée, regrettant de n'avoir pu au moins lui offrir un café digne de ce nom. Son manque de compétence dans ce domaine avait fait partie des nombreuses choses que Niles lui avait sans cesse reprochées.

« Mais bon sang, Cléo, tu ne sais vraiment rien faire correctement ? Je savais en t'épousant que tu n'avais rien d'un génie de la science, mais enfin, même le dernier des idiots peut apprendre à faire un café décent ! »

Ce souvenir réveilla aussitôt en Cléo la sensation familière des brûlures à l'estomac qu'avaient toujours provoquées ses disputes avec Niles.

Elles avaient commencé environ un an après leur mariage, diminué lorsqu'ils s'étaient séparés, avaient empiré lorsqu'elle avait repris la vie conjugale, et, à sa grande honte, avaient complètement disparu depuis la mort de Niles.

Cette fois-ci, ce n'était pas la peur qui réveillait ses douleurs, c'était le moyen qu'avait trouvé son corps pour lui signifier qu'elle se trouvait une fois de plus dans une situation critique. Et par sa faute.

— Il faudrait que je fasse des courses en ville. Je n'ai plus de pain non plus.

— Parfait, nous pourrons en profiter pour passer à l'agence pour signer les papiers nécessaires.

— *Nous* n'allons nulle part, je compte aller seule en ville. Vous pouvez toujours passer à l'agence laisser vos coordonnées pour qu'on puisse vous rappeler le jour où j'aurai enfin décidé de vendre. Si toutefois vous n'avez rien trouvé d'autre d'ici là.

Harrison lui laissa quelques instants pour savourer son triomphe, avant de sortir sa carte maîtresse.

— C'est bien votre voiture, là dehors, avec le pneu à plat ?

Mais devant l'air abattu de la jeune femme, il se reprit tout aussitôt.

— Je peux appeler un garage si vous voulez. Je pense qu'ils accepteront de venir vous dépanner à domicile. Bien sûr, les frais de déplacement risquent de vous coûter un certain prix, mais je suppose que cela fait partie des inconvénients à assumer en contrepartie du fait de vivre si loin de tout.

Cléo se redressa sur ses bras pour pouvoir se rasseoir, pestant contre cette grossesse qui la rendait si pataude.

— Je sais parfaitement changer un pneu, vous savez.

— Je n'en doute pas un instant.

— J'ai également passé une licence à l'Université de Richemond et, jusqu'à ces dernières semaines, je m'occupais d'une des galeries d'art les plus en vue de Virginie.

Il lui manquait encore deux matières à repasser avant d'obtenir la licence en question — Histoire de l'Art — et la prestigieuse galerie se limitait à un mouchoir de poche bien trop modeste pour rapporter deux salaires. D'où sa décision de chercher un autre job. D'où l'envoi d'une quantité de C.V... qui jusqu'ici n'avaient reçu aucune réponse.

Elle se redressa en essayant d'afficher un air dégagé.

— Oh, je sais très bien ce que vous pensez. Que je fais partie de ce genre de bonne femme incapable de se débrouiller par elle-même. Permettez-moi de vous dire que cela fait des années que je me débrouille toute seule, et que j'ai bien l'intention de continuer. Donc, je vous remercie de votre offre, mais je me débrouillerai sans vous.

— Ecoutez, reprit-il d'une voix douce, je pense à une solution qui pourrait nous éviter à tous les deux beaucoup de complications.

Il y avait réfléchi la nuit précédente, partant du principe qu'en affaires, on ne se lance jamais dans une négociation sans avoir prévu de plan de repli.

Cléo inclina la tête sur le côté et lui jeta un regard suspicieux.

— Eh bien, s'exclama-t-il d'un ton enjoué sans lui laisser le temps de protester, puisque nous allons en ville de toute façon, ça va vous permettre de finir votre dernier pot de crème glacée. Je vais le chercher !

Sur quoi, il la gratifia d'un sourire éblouissant — digne de « l'un des célibataires les plus convoités de la planète » — et la laissa sur son canapé, les mains croisées sur le ventre et le sourcil froncé en une expression de pure frustration.

— Alors voilà, dit-il quelques minutes plus tard en lui tendant un bol plein de crème glacée nappée d'une généreuse dose de coulis au chocolat. Tout d'abord, vous avez besoin qu'on vous change un pneu. Moi, pour ma part, je dois faire chaque jour un minimum d'exercice physique et je suppose que changer un pneu peut être considéré comme une activité physique tout à fait valable.

Si toutefois il parvenait à trouver *comment* on changeait un pneu : habitué depuis sa plus tendre enfance à avoir recours à un personnel aussi nombreux que qualifié, il n'avait jamais changé de pneu. Il se rappelait bien avoir vu faire le chauffeur de ses parents mais…

La jeune femme semblait déjà rassérénée.

Décidément, la crème glacée devait produire chez elle des effets similaires à ceux d'un quelconque anxyolitique.

— C'est ça votre proposition ? Vous changez mon pneu et on se considère comme quittes ?

— Euh… Pas tout à fait. Vous savez aussi bien que moi qu'une jeune femme dans votre état ne devrait en aucun cas porter quoi que ce soit de lourd. Sans parler du fait que vous pourriez tomber en portant tous ces cartons, ce qui serait d'autant plus dangereux que vous vivez seule à des heures de tout.

— Donc, si je vous comprends bien, je devrais accepter que vous me versiez une partie du prix de la vente pour pouvoir engager quelqu'un qui se chargerait de tous ces cartons à ma place.

— Pas exactement. Je songeais plutôt à une sorte de… troc. Voyez-vous, je paye actuellement une chambre à peu près aussi grande que votre placard à balais, équipée — si l'on peut dire — d'un lit qui a dû connaître la guerre de Sécession. Quant à la nourriture offerte par le restaurant du motel, elle ne correspond pas *du tout* au régime que les médecins m'ont ordonné de respecter.

— Vous êtes au régime ? Vous ?

Il la vit alors procéder à une revue détaillée de son anatomie, de haut en bas, puis de bas en haut. Il n'y avait bien sûr aucune connotation sexuelle dans la façon dont elle le regardait, et pourtant il se sentit tout à coup étrangement… conscient de sa virilité à lui, et de sa féminité à elle.

— Un taux de cholestérol un peu trop élevé, voilà tout, admit-t-il d'un ton rauque.

— Et vous voulez partager ma cuisine ?

« Allez, ma belle, mords à l'hameçon. Une fois que j'aurai mis un pied dans la place, ce sera gagné. »

— Vous me rendriez un immense service. Le médecin m'a assuré qu'avec de l'exercice, une nourriture saine et pas de stress, je retrouverai très vite une forme olympique.

Elle hésitait. Il le voyait à son froncement de sourcil si caractéristique. Et puis, si elle avait voulu le flanquer à la porte, elle l'aurait dit tout de suite.

— Je pourrais aussi me charger de vos cartons, ajouta-t-il pour faire bonne mesure. Pourquoi aller engager quelqu'un d'autre ?

— Combien de temps voudriez-vous rester ?

— Inutile de le décider dès maintenant. Vous n'aurez qu'à me faire savoir quand vous voulez que je parte.

— Et vous n'allez pas passer votre temps à essayer de me convaincre de vous vendre la maison ?

— Pas avant que vous vous sentiez prête.

— Et si je ne me sens *jamais* prête ?

— Dans ce cas, répondit-il avec un haussement d'épaules, alors vous restez, et moi je pars.

Le téléphone sonna. Au même moment, on entendit au-dehors les protestations véhémentes d'un canard, et Cléo se redressa aussitôt pour essayer de se lever.

Mais Harrison lui tendit le téléphone et lui posa sur l'épaule une main rassurante.

— Vous, vous répondez au téléphone. Moi je me charge de votre cane.

4.

— Salut, ma grande ! Ça va la vie ?

Cléo se laissa retomber en arrière avec un énorme soupir de soulagement en reconnaissant la voix de Tally Randolf, son amie d'enfance, ex-compagne de chambre à l'Université et, jusqu'à ces derniers temps, son employeur : Tally possédait à Chesapeake la galerie dans laquelle Cléo avait travaillé comme comptable, relation publique et même vendeuse, bref, tout ce qu'elle pouvait faire pour mériter son salaire, son gîte et son couvert.

— Oh, Tally, ça fait un temps fou que je voulais t'appeler mais…

— Je sais, je sais, ta ligne était en dérangement, j'ai essayé plusieurs fois. Je me demandais si tu avais déjà vendu et déménagé.

— Oh non, des souris avaient grignoté des fils.

— Tu devrais investir dans des bonnes vieilles tapettes. Dis-moi, Cléo, je t'appelais en fait parce qu'un certain Pierce Holmes est venu avant-hier et a demandé après toi. Il a dit que c'était personnel et, quand il m'a donné sa carte pour que je te la transmette, et que j'ai vu qu'il appartenait au cabinet Barnes, Barnes, machin chose et Barnes, j'ai dit que je t'avais entendue mentionner les Iles Vierges.

— Oh, Tally, tu n'as tout de même pas osé ?

— Parce que tu me crois capable de mentir ? Je me rappelle distinctement t'avoir entendue *mentionner* que tu avais passé ton voyage de noces dans les Iles Vierges. Une mention est une mention, pas vrai ?

Cléo ne put réprimer un petit rire devant la mauvaise foi éhontée de son amie.

— Il a expliqué ce qu'il me voulait ?

— Et non ! Comme il avait un physique canon, je lui ai bien suggéré de m'emmener dîner pour me raconter tout ça, mais je présume qu'il préfère les blondes filiformes aux rousses voluptueuses. Encore que dans le genre filiforme, en ce moment, tu doives un peu dépasser les normes. Mais dis-moi, la visite de ce type te paraît inquiétante ?

Cléo crispa la main sur son estomac et jeta un coup d'œil par la fenêtre pour s'assurer que son visiteur était toujours dehors.

— Je ne crois pas, non. Il était sans doute venu dans le coin pour affaires et a décidé de passer me voir avant de repartir pour Richemond. Je le connais.

— Veinarde !

« Pas vraiment », pensa Cléo. Elle connaissait le dénommé Holmes, joli garçon, en effet, mais froid, calculateur, et parfaitement antipathique.

— Ecoute, Cléo, il m'a laissé son numéro, tu veux que je l'appelle pour lui raconter que tu as trouvé un job comme gardien de phare quelque part dans les Caraïbes et qu'on ne peut pas te joindre ?

— Excellente idée de job en tout cas. Tu connais quelqu'un dans le milieu à qui me recommander ?

— Hélas ! non, ma grande. Et tes C.V., ça donne quoi ?

— Rien pour le moment. Mais l'espoir fait vivre, alors…

— Tu es sûre que ça va, Cléo ? Parce que si tu as besoin de moi, je ferme la boutique et j'arrive !

— Merci, Tally, mais je t'assure que ça va bien.

— Dans ce cas, répète après moi : « Moi, Cléopatra Larkin Barnes, je suis une dure à cuire et rien ne me résiste. »

Hésitant entre le rire et les larmes, Cléo répéta consciencieusement la phrase rituelle, promit de donner de ses nouvelles, et raccrocha.

Au grand soulagement d'Harrison, la cane avait déjà géré toute seule la menace lorsqu'il parvint au bord de la mare : avant même de localiser les œufs, il vit un serpent glisser dans la mare et la traverser en direction de l'autre rive. Au même instant, quelque chose de petit et brun frôla son oreille gauche : un minuscule oiseau, visiblement effrayé par son arrivée. Il le regarda disparaître dans le feuillage, inclinant la tête avec un petit sourire amusé dont il fut d'ailleurs le premier surpris. Voilà qu'il virait écolo maintenant !…

Histoire de laisser à Cléo quelques minutes de tranquillité au téléphone, il resta un moment dehors à observer le paysage autour de lui. Rien d'extraordinaire, il avait vu des arbres aussi beaux dans Central Park. Pourtant, il éprouvait au milieu de ces bois un sentiment étrange de… bien-être. Cela avait-il quoi que ce soit à voir avec l'hérédité ? Après tout, ses ancêtres étaient originaires du coin, et les terres dont il venait d'hériter se trouvaient à quelques miles à vol d'oiseau. D'après le vieux notaire qui l'avait reçu, il y avait d'ailleurs une quantité de Lawless dans les environs au début du siècle.

Il retrouva Cléo allongée sur son canapé, le regard perdu dans le vague et l'air préoccupée.

— Un problème ? demanda-t-il en venant s'asseoir devant elle.

Pas de réaction.

— Cléo, qui était-ce au téléphone ?

Elle cligna des yeux, ce qui parut la ramener à la réalité.

— Pardon ? Oh, le téléphone, ce… c'était un faux numéro.

« Bien, sûr ma belle, et moi je suis la reine d'Angleterre. »

De toute façon, cela ne le regardait pas, se dit-il en ramassant sur la table basse le bol et la tasse.

— Au fait, votre cane et ses poussins se portent comme un charme. Vous aviez raison : il s'agissait bien d'un serpent. Affreux. Mais elle l'a mis en fuite toute seule, sans mon aide.

— Hum hum…

— Ce devait être un python, d'au moins six mètres de long.

— Hum hum…

— D'une belle couleur violette, sans doute une espèce locale.

Il attendit, toujours pas de réaction. De toute évidence, elle n'avait pas écouté un mot des énormités qu'il venait de lui raconter.

— Dites, je viens d'avoir une brillante idée : pourquoi n'irions-nous pas en ville ? Vous pourriez vous préparer pendant que je change votre pneu et nous déposerions le pneu crevé au garage pour qu'ils le réparent.

— Hum hum…

Elle n'était déjà pas du genre surexcité d'habitude, mais là, il y avait sûrement un problème grave.

Harrison commença à s'inquiéter sérieusement et, là encore, s'en trouva le premier surpris.

— Cléo ? Ecoutez-moi : si vous avez un ennui, faites-moi confiance, je suis très fort pour régler les problèmes.

Il s'avançait peut-être un peu : jusqu'à présent, il avait toujours disposé d'une équipe de gens efficaces prête, dès la moindre alerte, à traverser la planète pour aller régler n'importe quel problème susceptible de menacer les intérêts de la Lawless Company.

Cléo prit une profonde inspiration et lui fit un grand sourire, visiblement destiné à le rassurer.

Ce qui produisit sur lui l'effet opposé.

— Cléo, dites-moi : que se passe-t-il ?

— Il ne se passe rien du tout. Ne vous inquiétez pas, ça va. Mais… merci tout de même de vous en préoccuper.

Il l'observa un moment en silence, l'air peu convaincu.

Le sourire de Cléo s'élargit, et il trouva qu'elle devenait de moins en moins crédible.

— Je vais mettre une robe un peu plus présentable, dit-elle d'une petite voix un peu trop aiguë, qui lui rappela étrangement le cri du minuscule oiseau qu'il avait effrayé tout à l'heure.

Oui, il avait effrayé cet oiseau, tout comme quelqu'un avait effrayé Cléo.

Lorsqu'elle eut enfilé sa robe de maternité la plus légère — et la moins tarte, ne put-elle s'empêcher de remarquer pour elle-même avec un haussement d'épaules de dérision — et relevé ses cheveux en un chignon présentable, Cléo commença à retrouver le contrôle d'elle-même.

Inutile de paniquer inutilement : ses beaux-parents ne *pouvaient pas* avoir découvert sa grossesse.

Elle avait pris toutes ses précautions. Elle avait été acheter à l'autre bout de la ville trois tests, histoire d'être bien certaine.

Elle s'était aperçue de son retard de règles peu de temps après le décès de Niles. Ses beaux-parents, encore assommés par la disparition si brutale de leur fils unique, n'avaient même pas prétendu vouloir la retenir lorsqu'elle leur avait annoncé qu'elle voulait partir.

Ils lui en voulaient encore d'avoir « acculé » leur fils au mariage. Quelle ironie ! Ils ne lui pardonnaient pas de l'avoir empêché d'épouser la jeune fille fortunée et d'excellente famille qu'ils lui destinaient. Ils l'accusaient d'avoir poussé leur fils à boire, de l'avoir abandonné alors qu'il avait besoin d'elle, et d'être revenue au lieu d'avoir divorcé.

Mais c'était Niles qui l'avait suppliée de revenir, qui lui avait promis de ne plus jamais toucher une goutte d'alcool. Et elle, pauvre gourde, elle l'avait cru. Alors qu'elle s'était rendu compte entre-temps qu'il avait commencé à boire avant même son entrée à l'Université. Elle l'avait cru d'abord parce qu'il savait se montrer si persuasif, et ensuite parce qu'elle ne pouvait pas supporter l'idée qu'elle eût pu se tromper à ce point sur lui.

Pourtant, les parents de Niles avaient bien dû se rendre compte de ce qui se passait sous leur propre toit. La maison était grande, certes, mais tout de même. Plus d'une fois, ils avaient vu Cléo apparaître à la table du petit déjeuner le visage tuméfié ou même balafré. Et ils avaient fait mine de la croire lorsqu'elle avait raconté qu'elle s'était cognée dans une porte ou avait trébuché sur un meuble.

Les derniers temps, Niles était devenu tellement incapable de gérer ses dossiers professionnels que son père avait fini par ne plus lui en confier de nouveaux.

Elle l'avait quitté pour la seconde fois après une dispute terrible un samedi soir tard. Niles l'avait poursuivie parce qu'il savait où la retrouver, là où elle s'était déjà mise à l'abri la première fois, dans un motel bon marché des environs. Il avait déboulé dans le parking de l'hôtel, ivre mort, avait percuté plusieurs voitures et renversé un lampadaire avant de rentrer de plein fouet dans la vitrine d'un magasin.

S'il ne s'était pas tué dans cet accident, Cléo ne savait pas comment la situation aurait évolué.

Peut-être que, s'il avait appris pour le bébé, cela aurait arrangé les choses… Ou peut-être pas. Elle ne le saurait jamais.

« Arrête de ressasser ces souvenirs qui te font si mal, murmura-t-elle pour elle-même, laisse tout ça derrière toi maintenant. »

Elle inspira à fond, se redressa, attrapa son sac à main, son trousseau de clés et ses lunettes de soleil, et descendit voir comment avançait le changement de pneu de sa voiture.

— Je suis prête ! cria-t-elle depuis la véranda. Vous voulez vous laver les mains avant de partir ?

— Je n'ai pas tout à fait terminé, répondit Harrison en se relevant, tout en essuyant d'un avant-bras graisseux son front trempé de sueur. Votre roue est complètement bloquée par la rouille.

Cléo descendit avec précautions en se tenant à la rambarde, et vint s'installer à l'ombre d'un grand cyprès pour observer le travail de ce mécanicien de fortune : il regardait sa roue avec les sourcils froncés de perplexité, comme s'il n'en avait jamais vu auparavant.

Elle remarqua son visage rouge et s'inquiéta aussitôt : qu'est-ce qu'elle pourrait bien faire s'il lui faisait une crise cardiaque, comme ça tout à coup ? Appeler le numéro des urgences ? Mais accepteraient-ils seulement de se déplacer aussi loin dans la campagne ?

« Ah bravo ! » pensa-t-elle, c'était *maintenant* qu'elle se préoccupait de savoir si les urgences pouvaient atteindre ce trou en cas de problème ! Elle frémit en imaginant ce qui se serait passé si ses contractions avaient commencé, alors qu'elle se trouvait ici toute seule, avec un pneu crevé et un téléphone hors d'usage.

Dans l'immédiat, et avec un peu de chance, la chaleur suffisait-elle peut-être à expliquer le teint congestionné de M. Lawless… qui, de dos, lui offrait une vue tout à fait intéressante de sa superbe anatomie : larges épaules, hanches étroites, fesses hautes et musclées…

« Hé ! Tu es tombée sur la tête, ma fille ! Tu crois que c'est franchement le moment — dans ton état — de fantasmer sur les fesses de ce type ? »

Elle secoua vivement la tête pour se remettre les idées en place.

— Dites-moi…, commença-t-elle sans oser l'appeler par son prénom, voulez-vous que je vous prépare un peu de thé glacé ?

Il se retourna et la gratifia d'un sourire reconnaissant.

— Excellente idée. D'ailleurs, vous ne pensez pas qu'on pourrait remettre ce changement de pneu à plus tard ? En tout cas, après le coucher du soleil, ajouta-t-il en riant. Moi j'ai un véhicule en parfait état de marche et…

— Entendu. Je vais préparer le thé pendant que vous faites un brin de toilette. Je crois que ça s'impose, conclut-elle en riant à son tour.

Et elle remonta dans la maison, laissant Harrison s'éponger le front avec son mouchoir maculé de graisse. Il pensait à Nick, le boxeur retraité qu'il avait employé comme chauffeur pendant plusieurs années. Il lui avait laissé en cadeau d'adieu les clés de sa limousine assorti d'un an de salaire en bonus. En ce moment, il aurait donné n'importe quoi pour entendre sa grosse voix traînante : « Allons, boss, aurait-il dit, donnez-moi donc ces outils avant de massacrer cette belle machine ».

Encore que dans ce cas précis il ne s'agisse pas du tout d'une belle machine, mais plutôt d'une quasi-poubelle. Oui, cette fille devait être complètement fauchée. Sinon, pourquoi conduire une épave et mettre en vente une maison qu'elle n'avait visiblement aucune envie de vendre ?

Etrange d'ailleurs, il y avait encore des tas de questions à propos d'elle dont il aurait aimé connaître la réponse. D'accord, cela ne le regardait en rien, mais après tout, il n'avait rien d'autre à faire, il fallait bien qu'il s'occupe l'esprit.

C'était d'ailleurs la raison pour laquelle il avait décidé de tout vendre et de quitter New York : il avait d'abord essayé de se conformer aux ordres des médecins, donc de diminuer son activité et de ralentir son rythme de travail. Pour prendre le temps de se reposer, de « profiter de la vie » comme ils disaient. Mais cela revenait à dire à un alcoolique de boire avec modération : l'échec garanti.

Bref, maintenant qu'il s'était de lui-même mis à la retraite, il pouvait tout aussi bien étudier la façon de résoudre les problèmes de cette jeune femme.

Une fois qu'ils eurent rejoint l'autoroute 64, la conduite devint facile. Avec l'air conditionné à fond, la jeune femme silencieuse à son côté, et pratiquement pas de circulation, Harrison commença à dresser mentalement la liste des tâches à accomplir.

Etant donné la difficulté que représentait pour Cléo le fait de monter et descendre d'un véhicule si haut sur roues, elle accepta volontiers de rester dans la voiture pendant qu'il récupérait ses affaires au motel.

— Prochaine étape, le garage. Cela ne vous ennuie pas d'attendre de nouveau, j'en ai pour une minute ?

Elle remua la tête en signe de dénégation avec un doux sourire un peu endormi, et Harrison se demanda comment une femme aussi enceinte pouvait demeurer aussi séduisante.

Pas sexy, non bien sûr, mais quelque chose d'infiniment plus... féminin que cela.

Il prit rendez-vous pour que le garage envoie quelqu'un chercher la voiture de Cléo, qu'on lui remplace le pneu crevé, qu'on procède à un check-up complet du véhicule et qu'on fasse toutes les réparations nécessaires. Il voulait qu'elle bénéficie d'une voiture en parfait état de marche parce qu'il ne supportait pas l'idée qu'elle puisse tomber en panne sur l'autoroute dans son état.

Quelques minutes plus tard, ils se garèrent devant l'unique supermarché de la ville.

— Ça vous ennuierait de venir avec moi cette fois-ci ? J'aurais sérieusement besoin d'être piloté dans ce genre d'endroit.

— Volontiers, cela ne me fera pas de mal de faire un peu d'exercice. Si toutefois j'arrive à descendre de cet engin sans parachute.

Il alla lui ouvrir la porte et lui tendit les bras en souriant. Elle essaya d'abord de prendre appui sur ses épaules pour sauter, puis hocha la tête avec un sourire d'autodérision et accepta qu'il la porte.

Harrison se dit que c'était la chaleur qui faisait réagir son corps de cette façon, et non le contact de la peau douce et du parfum frais de la jeune femme, ni son petit cri étranglé lorsque son ventre appuya sur le sien.

Ce n'était pas la première fois qu'il remarquait ses brusques bouffées de tendresse qui l'assaillaient aux moments les plus incongrus.

« Pourvu, pensa-t-il, que ce ne soit pas le symptôme de quelque chose de grave. »

Il y avait à peine une dizaine de clients à l'intérieur. Des femmes pour la plupart. Les hommes seuls qui poussaient leurs chariots paraissaient des habitués de la chose.

Quant à Harrison, c'était la première fois qu'il mettait les pieds dans un supermarché.

Il insista pour pousser le chariot, non pas qu'il y connût grand-chose en matière de « protocole de supermarché », mais parce que cela lui parut être ce qu'un gentleman devait faire.

Cléo attrapait des articles dans les rayons et les laissait tomber dans son Caddie. Elle passa un long moment devant les congélateurs des glaces, et choisit une quantité impressionnante de tous les parfums imaginables. Puis elle passa aux fruits et légumes frais. Ensuite, elle acheta des filets de poissons et des blancs de poulets congelés. En somme, des tas de choses « brutes » dont Harrison n'avait pas la moindre idée de la façon de les utiliser. Il la vit prendre dans l'un des congélateurs un paquet de chair de crabe.

— Vous aimez le crabe ? demanda-t-elle.

— Beaucoup. Mon cuisinier le préparait avec de la crème et de l'estragon et…

— Croyez-moi, laissez tomber la crème. Moi j'ai un taux de cholestérol de 1,63, ajouta-t-elle avec candeur, et vous ?

Il fit mine de ne pas avoir entendu et poussa le chariot un peu plus loin dans l'allée.

Cléo en profita pour retourner chercher deux boîtes de glace vanille à la noix de pécan.

— Hédoniste, remarqua-t-il en riant.

Elle lui répondit par un sourire malicieux qu'il trouva absolument craquant.

Lorsqu'ils arrivèrent aux caisses, plaisantant et riant comme des amis de toujours, Harrison obligea Cléo à remettre dans son sac le portefeuille qu'elle venait d'en sortir.

— Non, nous ferons nos comptes tout à l'heure en prenant un verre, expliqua-t-il. Bon, plus qu'un dernier arrêt et on y va.

Le dernier arrêt en question les mena dans le magasin spécialisé dans le bricolage. Là aussi, pour Harrison, c'était une première. Il déambulait dans les rayons les yeux écarquillés et Cléo observa en riant qu'on aurait dit un enfant dans un magasin de jouets.

Il haussa les épaules et leva les yeux au ciel, mais sans pouvoir nier la justesse de la remarque : il se sentait en effet heureux comme un gosse… et cela faisait un sacré bout de temps que cela ne lui était pas arrivé.

Il ne voulut pas ressortir les mains vides, alors il acheta un marchepied pour permettre à Cléo de monter et descendre de la Land Rover.

Bien sûr elle protesta.

— Vous préféreriez que je vous prenne dans mes bras chaque fois ? Je n'y vois pas d'inconvénient.

— Je préférerais conduire ma propre voiture, au moins, elle a été conçue pour des gens normaux.

— Parce que vous vous prenez sincèrement pour quelqu'un de normal ?

Elle lui jeta un regard noir. Elle devait faire un tel effort pour essayer de garder son sérieux qu'elle ne le convainquit pas une seule seconde.

Revenus dans la voiture, il lui proposa un arrêt à la rôtisserie qu'il avait expérimentée la veille, mais elle déclina son offre.

— Ecoutez, Harrison, si vous devez passer quelques jours à la maison, je pense que vous feriez mieux de me confier la liste des aliments autorisés ou non par vos médecins.

« Quelques jours à la maison ? L'un de nous deux y restera définitivement, ma belle. Moi, en tout cas, je ne suis pas du tout pressé de quitter les lieux. »

Mais elle avait retrouvé son expression préoccupée, et il décida de se montrer particulièrement charmant pour lui changer les idées. Un art dans lequel il excellait depuis si longtemps que cela en était devenu une seconde nature.

Lorsqu'ils quittèrent l'autoroute pour s'engager dans le chemin de terre qui conduisait à la maison, elle semblait avoir oublié ses soucis et tous les deux riaient de bon cœur.

C'était agréable. Il se sentait bien. Bien mieux qu'après l'un de ces sempiternels cocktails mondains que l'on passe debout, un verre à la main, un sourire artificiel plaqué sur le visage.

Cléo lui laissa choisir la chambre qu'il voulait occuper. Elle-même était installée dans l'aile Nord. Chacune des deux autres parties de la maison comportait deux chambres et deux salles de bains. Harrison choisit une exposition Ouest, face à la forêt. La chambre était claire, lumineuse, pas spécifiquement féminine, mais en tout cas moins ostensiblement virile que le reste des pièces : les poutres du plafond avaient été peintes en blanc et les trophées de chasse omniprésents avaient été remplacés par des aquarelles aux tons frais et doux qui attirèrent aussitôt son attention. Il émanait d'elles une impression de sérénité et d'intimité à la fois. L'une représentait une jeune fille en train de lire, son visage découpé en clair-obscur devant une fenêtre ouverte sur la campagne. Les autres représentaient des paysages champêtres, des cours d'eau, des champs. Certains comportaient des personnages, d'autres pas, mais tous reflétaient cette sérénité, cette douceur, cette luminosité bienfaisante. Harrison s'y connaissait assez peu en matière de peinture, mais il avait fréquenté suffisamment de vernissages pour suspecter qu'il ne s'agissait pas là d'œuvres d'un artiste de renommée internationale. Il s'approcha pour regarder la signature, un tout petit signe à demi caché sous le cadre. Il nota de se rappeler de demander à Cléo s'il pourrait acheter ces cinq aquarelles avec quoi que ce soit d'autre qu'elle souhaiterait laisser derrière elle en partant.

Tout en se mordillant nerveusement la lèvre inférieure, Cléo prépara une salade et fit griller — sans matières grasses — deux blancs de poulet.

Lorsque Harrison poussa la porte de la cuisine, les cheveux encore humides de la douche qu'il venait de prendre et vêtu du T-shirt et du jean propre qu'il avait emportés dans le ranch en prévision des impondérables, Cléo se sentit encore plus godiche dans sa robe de grossesse à fleurs, pourtant la plus seyante de celles qu'elle possédait.

— Très jolie, remarqua-t-il avec un sourire gentil.

Sans doute parlait-il de la robe. Du moins elle espérait qu'il parlait de la robe.

Quoique…

« Cette fois-ci, ma fille, tu es devenue folle. Folle à lier. Allons, reprends-toi. Un peu de tenue. Redescends sur terre pendant que tu le peux encore. »

— Vous me semblez bien songeuse, remarqua Harrison.

— C'est la gestation. Ça demande beaucoup de patience, vous savez, ajouta-t-elle avec un petit sourire ironique.

— Oh, vous avez préparé le déjeuner. Vous n'auriez pas dû, j'aurais pu m'en charger.

Le regard mi-dubitatif, mi-narquois qu'elle lui jeta aurait ébranlé l'ego d'un homme moins aguerri.

— Je le ferai demain alors. Autre chose : après le dîner, j'aimerais que vous me donniez une liste de noms et de numéros de téléphone que je puisse garder sous la main au cas où.

— Au cas où quoi ?

— Eh bien au cas où… enfin vous voyez… le bébé.

— Bah, on a encore le temps. Asseyez-vous. Moi je meurs de faim, pas vous ?

Il regarda le repas posé sur la table, essayant de paraître ravi. Son cuisinier aurait toisé le tout d'un regard méprisant.

— Dites-moi, demanda Cléo tandis qu'il mâchait avec application son blanc de poulet insipide et sa salade à l'assaisonnement aqueux, puis-je vous poser une question : que faites-vous lorsque les questions que vous vous posez ne trouvent pas de réponse ?

— Pas de réponse du tout, ou alors aucune que vous n'acceptiez d'entendre ?

— Je ne sais pas au juste… Peut-être que cette question-là aussi fait partie des questions sans réponse.

— Je ne crois pas, non. Je pense en revanche que vous n'êtes pas prête à l'entendre.

Elle lui répondit par une grimace de petite fille et il dut se retenir pour ne pas tendre la main et lui effleurer la joue. Ce qui, une fois encore, lui parut encore plus étrange du fait qu'il n'avait jamais été du genre à toucher les gens.

Il observa le sommet de son crâne alors qu'elle triturait sa salade du bout de sa fourchette. Les derniers rayons du soleil couchant entrant par la fenêtre ouverte éclairaient ses cheveux blonds de reflets cuivrés. Ses cils, étonnamment longs pour ceux d'une blonde, dessinaient sur ses joues des ombres délicates.

Oui, décidément, il se posait des tas de questions sur cette jeune femme qui venait de faire irruption dans sa vie.

Ou plutôt dans la vie de laquelle il venait de faire irruption. Le résultat était le même.

— A propos de questions, en voilà une à laquelle vous allez pouvoir répondre : à quelle distance d'ici se trouve votre gynécologue ?

Elle releva la tête, visiblement tirée de sa rêverie. Il ne put s'empêcher de remarquer que des yeux brun pâle sur une blonde pouvaient être infiniment séduisants.

— A vol d'oiseau ?... Environ cent quarante, cent cinquante kilomètres. Mais plus, bien sûr, par la route, pourquoi ?

Il secoua la tête d'un air accablé.

— Je savais que je n'aurais jamais dû m'engager dans ce chemin, jamais dû m'arrêter pour lire la pancarte, ni jamais dû passer le seuil de cette maison.

— Oh ! mais il n'est pas trop tard pour changer d'avis, dit-elle d'une voix douce, sans aucune trace d'ironie. Je peux vous rendre l'argent que vous avez versé, rien ne vous retient.

— Là, vous faites erreur, voyez-vous. Hier encore, j'aurais pu partir. Mais aujourd'hui, ça n'est même pas envisageable.

Il ne savait pas ce qui lui avait pris de faire cette déclaration étonnante. Il savait simplement que c'était vrai : sans qu'il pût dire pourquoi, il savait qu'il ne pouvait *plus* partir maintenant. Pas davantage qu'il ne pouvait effacer les mois qui venaient de s'écouler pour revenir à sa vie d'avant, avant le jour où une douleur fulgurante, terrible, avait détruit son univers et failli lui ôter la vie.

5.

Allongé dans son lit, Harrison fixait sans le voir le paysage champêtre sur le mur d'en face et laissait son esprit vagabonder, repensant à sa vie passée.

Inutile de chercher à le nier, cela lui manquait — et lui manquerait sans doute toujours — de ne plus se trouver au cœur de l'action. Le pouvoir et l'excitation qu'il procurait avaient toujours agi sur lui comme une drogue. Tout comme le fait d'être respecté par ses pairs, même ceux qui le haïssaient, et recherché par certaines des plus belles femmes de la planète.

Jusqu'à ces dernières années, il n'avait jamais consacré beaucoup de temps à penser aux femmes en tant qu'individus, se contentant de les diviser en trois groupes : celles avec qui il couchait, celles avec lesquelles il travaillait, et enfin les épouses de ses associés.

Plus encore qu'une beauté parfaite, ce qu'il avait toujours recherché chez une femme c'était la vivacité d'esprit, le sens de l'humour et la sophistication.

Côté sophistication, Cléo Barnes laissait beaucoup à désirer… D'ailleurs, enceinte ou pas, elle ne correspondait pas du tout à ses critères habituels. Cependant, il ne pouvait nier qu'elle possédait une sorte d'aura qu'il n'avait jamais rencontrée chez aucune autre femme. Et il commençait à se rendre compte qu'il aimait beaucoup se trouver en sa compagnie. Oui, il se sentait bien avec elle, et cela lui paraissait d'autant plus surprenant qu'elle passait le plus clair de son temps à le rabrouer. De toute évidence, il ne l'impressionnait pas outre mesure. Or, en général, les femmes étaient très impressionnées par lui. Peut-être était-ce la nouveauté de cette situation qui le séduisait.

Ou peut-être pas…

Par contre, Cléo Barnes semblait avoir *peur* de quelque chose. Ou de quelqu'un.

Mais là encore, se dit Harrison, peut-être était-ce son inactivité forcée qui le poussait à élucubrer des scénarios fantaisistes.

Ce qui l'inquiétait davantage, c'était que son espèce de sexualité nonchalante, langoureuse, le séduisait de plus en plus.

Son inactivité forcée l'avait-elle aussi transformé en obsédé sexuel ?

« Mon pauvre garçon, si tu continues ce n'est plus un cardiologue qu'il te faudra consulter, mais un psy. »

Les oiseaux le réveillèrent par une cacophonie assourdissante. Qui avait parlé du calme de la campagne ?

Harrison avait mal dormi. D'accord, le lit était trop petit, et il n'était pas chez lui. De toute façon, il dormait rarement bien, même dans l'un de ses lits à lui. La plupart du temps, il restait éveillé à penser à de nouvelles opportunités commerciales, à la façon de leur donner corps ou de les développer. Certaines personnes comptent les moutons pour s'endormir, lui repassait dans sa tête les colonnes de pertes et de profits de sa Société.

Lorsqu'un pivert se mit de la partie, en cognant avec énergie un tronc près de sa fenêtre, Harrison décida de se lever. Il se doucha, se rasa, et alla préparer du café, dosant au petit bonheur la quantité de poudre. Puis il sortit et rangea les outils qu'il avait laissés dehors.

La dépanneuse arriva tandis qu'il était en train de les remettre dans le coffre de sa Land Rover. Il discuta avec le mécanicien envoyé par le garage, qui lui fit part de ses impressions sur l'état de la voiture, l'éducation des enfants d'aujourd'hui, et les problèmes du Gouvernement à Washington, et cet homme lui parut un puits de sagesse. Une fois de plus, il décida de modifier ses idées reçues sur la « vie au ralenti » qu'on menait à la campagne.

Au moment où la voiture disparaissait au bout du chemin, Cléo apparut sous la véranda, se séchant les cheveux avec une serviette, vêtue d'une autre de ses robes informes — celle-ci, jaune avec des marguerites blanches — et pieds nus. Elle avait l'air débarbouillée de frais, et toute... fragile malgré sa silhouette volumineuse.

— Que se passe-t-il ? demanda-t-elle en fronçant le sourcil.

— J'étais en train de ranger les outils que j'avais sortis hier. Vous voulez prendre le petit déjeuner ? J'ai préparé du café.

— Harrison, cessez de me prendre pour une gourde et répondez-moi : où est partie ma voiture ?

— Eh bien... Pour un check-up général. J'avais demandé au garage d'envoyer quelqu'un la chercher ce matin.

— Mais elle a déjà subi une révision en mars.

— Peut-être, mais votre pneu de rechange était complètement foutu, et puis avec toute cette rouille j'ai pensé que...

— Mais vous n'aviez pas à penser quoi que ce soit à propos de *ma* voiture.

— Cléo, soyez raisonnable. Tant que vous restez ici, vous avez besoin d'un moyen de transport fiable.

— « Tant que vous restez ici » ? Qu'est-ce que ça veut dire « tant que vous restez ici » ?

— Je reconnais que j'aurais peut-être dû vous en parler d'abord, si j'avais su que vous alliez protester, je...

— Que j'allais *protester* ? Vous faites embarquer ma voiture, comme ça, sans me demander mon avis, et vous vous attendez à ce que je reste sans réaction ?

— Ecoutez, si c'est une question d'argent, je vous donne le loyer de la première semaine.

— Et moi, je veux que vous partiez d'ici !

Ses yeux brillaient de larmes retenues, et Harrison se demandait s'il devait la prendre dans ses bras pour la consoler ou disparaître en vitesse avant qu'elle n'explose.

— Ecoutez, Cléo, nous avons déjà discuté de tout ça. Vous savez fort bien que vous avez signé un contrat. Et il ne faut pas que vous vous mettiez dans un état pareil, c'est très mauvais pour le bébé.

— Je ne suis pas « dans un état pareil » comme vous dites ! Et arrêtez de me parler comme si j'étais une attardée mentale !

Son menton tremblait, sa respiration s'accélérait, et elle devenait toute rouge.

La sonnerie stridente du téléphone résonna à l'intérieur de la maison.

Tous les deux restèrent quelques secondes face à face, sans bouger. Cléo le fusillait du regard.

— Vous ne voulez pas répondre ? demanda-t-il d'une voix douce.

— Non, je ne veux pas répondre, ce que je veux c'est récupérer ma voiture !

— C'est peut-être important, suggéra-t-il d'un ton conciliant.

— Je n'attends aucun appel important.

— Quelquefois des choses agréables arrivent lorsqu'on s'y attend le moins.

— Epargnez-moi votre philosophie de comptoir, vous voulez bien ?

— Ecoutez, Cléo, je me préoccupe surtout de votre condition…
délicate, mais vous ne me rendez pas les choses très faciles.

Son menton trembla et une larme franchit la barrière de ses
cils pour couler le long de sa joue.

— Vous n'allez pas vous remettre à pleurer ?

— Non, je ne vais pas pleurer, et cessez de me regarder
comme ça !

Le téléphone sonna encore une fois puis s'arrêta. Le silence
parut soudain assourdissant.

— Comment voudriez-vous que je vous regarde ? demanda-
t-il en luttant pour réprimer un sourire amusé.

— Derrière, par-dessus votre épaule, dans votre rétroviseur.

— Je pense que vous avez besoin d'un peu de crème glacée.

— Et moi, je pense que vous avez besoin d'appeler le garage
pour lui dire de me rapporter ma voiture.

— Bien, madame, mais *après* le petit déjeuner.

Elle haussa les épaules, tourna les talons et repartit au pas
de charge. Elle était furieuse, vraiment furieuse, et Harrison
se demanda comment une jeune femme pouvait avoir l'air si
féminine et si… militaire à la fois.

Il referma le coffre de la Land Rover et la suivit à l'intérieur,
sourire aux lèvres, les yeux brillant à l'idée de la négociation
qui se préparait.

— Berk ! Qu'est-ce que c'est que ce truc ? Du goudron ?
s'exclama Cléo, visiblement pas du tout calmée par l'énorme
bol de céréales surmonté d'une grosse boule de glace qu'il lui
avait servi.

— Vous n'aimez pas mon café ? demanda-t-il, un peu
déçu.

Pour un premier essai, ça lui avait pourtant paru pas si
mal.

— Bref, pour ce qui concerne la voiture…

— Pour ce qui concerne le loyer. Je pensais à cinq cents par semaine pour le gîte et le couvert.

Cléo laissa tomber sa cuillère.

— Cinq cents. Vous voulez dire cinq cents *dollars* ? Par *semaine* ?

— Cela ne vous paraît pas suffisant ?

— Pas suffisant ? Mais c'est beaucoup trop, espèce de… malade.

Elle haussa les épaules d'un air exaspéré, et il ne put s'empêcher de remarquer à quel point elles étaient délicates et menues comparées à sa poitrine… ce qui l'amena à se demander si sa poitrine avait beaucoup augmenté de volume compte tenu des circonstances. Il avait entendu dire que certaines femmes pouvaient gagner jusqu'à deux tailles de soutien-gorge.

— Qu'est-ce que vous regardez comme ça ?

— Votre… Votre cou.

— Et qu'est-ce qu'il a mon cou ?

— Rien, absolument rien. Il est très joli. Long, mais pas trop : parfait.

Il se rendit compte qu'il débitait des platitudes lamentables, lui, Harrison Lawless, un homme habitué à mener les négociations les plus difficiles, avec un brio légendaire.

Cléo inspira à fond, ce qui projeta en avant la partie de son anatomie qu'Harrison se donnait un mal fou à ne pas fixer.

Il but la fin de son café, grimaça et se versa une tasse de lait.

Et grimaça de nouveau.

— Qu'est-ce que c'est que cette lavasse ? Ne me dites pas que toutes les vaches de cette région sont anémiques !

— C'est du lait écrémé, mais n'essayez pas de changer de sujet, ça ne prend pas.

— Ça ne prend peut-être pas, en tout cas, moi, je ne prends pas de lait écrémé. Où est le lait *normal* ?

— Et où est *ma voiture* ?

« Allons, mon vieux, on se calme. Rappelle-toi ce qu'a dit le cardiologue : pas de stress. »

— Elle est en train de subir une révision complète, de façon à ce que vous ne risquiez pas de tomber en rade sur le chemin de l'hôpital. Vous ne voudriez tout de même pas que votre bébé naisse en pleine brousse, non ?

— Au lieu de bavasser, est-ce que vous pourriez, s'il vous plaît, appeler le garage et leur demander de me rapporter ma voiture ? Je veux bien acheter un pneu neuf si nécessaire, mais je crois aussi qu'ils pourraient se contenter de poser une rustine sur la chambre à air.

— Une rustine ?

Elle le dévisagea un moment sans répondre, puis elle planta sa cuillère dans ses céréales.

— Vous n'avez jamais changé un pneu de votre vie, n'est-ce pas ? Admettez-le. Je l'aurais parié à la façon dont vous étiez habillé, à la façon dont vous avez installé le cric tout de travers. C'est un miracle que vous n'ayez rien abîmé et…

Elle s'arrêta net, le visage crispé en un rictus de douleur.

Il se précipita pour venir à côté d'elle.

— Cléo, que se passe-t-il, où avez-vous mal ?

Elle ferma les yeux et poussa un gémissement sourd.

Harrison posa la main sur son ventre. Il y avait un problème. On aurait dit que quelque chose bougeait là-dedans. Quelque chose *bougeait vraiment* ! La chose, le bébé. Le bébé bougeait pour *sortir* !

Harrison se releva, réfléchissant frénétiquement. Que faire ? Appeler les urgences ? Non, plutôt transporter Cléo dans la Land Rover et foncer jusqu'à l'hôpital. L'hôpital, bon sang, il ne savait même pas où se trouvait l'hôpital le plus proche.

— Cléo, écoutez-moi. Non, peut-être vaudrait-il mieux vous allonger d'abord. Je vais chercher l'annuaire et…

— Non, c'est ma tête.

Sa *tête* ?

Il s'agenouilla à côté d'elle, une main sur son épaule, essayant de ne surtout rien toucher de vital, rien de… intime. Est-ce qu'elle avait de la fièvre ?

Elle lui prit sa main libre et la plaça sur le dôme qui gonflait sa robe. Il cessa de respirer.

— Là…, murmura-t-elle, vous avez senti ? Il est encore en train de faire sa gymnastique.

Il le sentait. Mon Dieu, il le *sentait*.

— Et il est… vous allez bien ?

Elle lui sourit. Et il pensa qu'on aurait dit qu'un immense soleil s'était levé en elle. Elle était radieuse.

Il en oublia de respirer.

— Ecoutez, Harrison, cessez de vous faire du souci. Je vais bien et il me reste encore six semaines avant l'accouchement. D'ici là, Dieu seul sait où je me trouverai.

— Je pense tout de même que vous feriez mieux de vous allonger.

— Et moi je pense que je ferais mieux de finir ma glace par petites bouchées. J'avais oublié ce truc des migraines avec la glace.

— Des migraines avec la glace ?

— Oui, vous ne saviez pas ?

Non, il ne savait pas, il n'avait pas la moindre idée de quoi elle pouvait bien parler, mais ça lui était bien égal. Du moment qu'elle n'était pas en train d'accoucher…

Cléo termina son petit déjeuner puis avala ses vitamines sous l'œil vigilant d'Harrison. Il se sentait responsable. Non pas parce qu'elle représentait quelque chose pour lui, mais parce que c'était dans sa nature à lui de se sentir responsable.

Les employés de la Lawless Company avaient d'ailleurs toujours bénéficié d'avantages exceptionnels, allant des congés parentaux en passant par les inscriptions à des clubs de fitness, jusqu'à un régime de retraite très avantageux.

On le traitait de pirate, d'accord, mais il était un pirate *attentionné*.

Dès qu'il eut installé Cléo dans son hamac avec son verre de thé glacé et un vieux numéro de « Art in America », il entreprit de renouer par téléphone certaines relations utiles. Quelques années auparavant, il avait fait à un hôpital une donation qui avait permis la construction d'un nouveau bâtiment de pédiatrie. Son nom avait donc gagné quelque notoriété dans les milieux médicaux.

Il obtint rapidement un rendez-vous avec un obstétricien — pour Cléo — et un cardiologue — pour lui — dans l'hôpital d'Edenton à environ quarante-cinq kilomètres de Columbia.

Ragaillardi par le succès de ses négociations, il se lança dans la confection de sandwichs « régime » : laitue, tomate, fromage allégé et mayonnaise sans matières grasses. Tout juste mangeables, mais puisque Cléo avait décidé de faire baisser son taux de cholestérol, autant lui faire plaisir.

D'ailleurs, c'était plutôt agréable d'être surveillé par quelqu'un qui ne soit pas payé pour le faire. A New York, il avait toujours bénéficié du service de trois personnes qui se chargeaient de tout, de ses rendez-vous chez le dentiste à l'envoi du « bouquet du lendemain matin » à la dame du moment.

Il sortit sous la véranda et vit que Cléo s'était endormie au soleil. Il s'approcha et lui posa doucement une main sur l'épaule.

— Cléo, ma puce, le déjeuner est prêt.

« Ma puce ? Qu'est-ce qui te prend, Harrison ? »

Elle ouvrit les yeux et lui adressa un sourire encore tout ensommeillé.

— Mmm… je me suis assoupie.

— Tant mieux. Mais vous devriez peut-être abandonner ce hamac jusqu'à la naissance.

— Je ne vais pas tomber.

— Non bien sûr, mais votre… sens de l'équilibre, heu…

— Vous voulez sans doute dire que je suis aussi grosse qu'un dirigeable et à peu près aussi impossible à manœuvrer ?

— Eh bien… Puisque vous le prenez comme ça, admit-il avec un sourire malicieux.

— Qu'est-ce que vous avez fait pendant que je dormais ?

Sa voix, comme son sourire, était encore tout ensommeillé.

— Pas grand-chose, quelques coups de fil. Et puis, j'ai préparé le déjeuner : pas de sel, pas de matières grasses, pas de goût.

— J'aurais pu le faire, protesta-t-elle en riant.

— Vous avez besoin de vous reposer.

— J'ai surtout besoin de faire de l'exercice. Vous croyez qu'on peut considérer le fait de se balancer dans un hamac comme de l'exercice physique ?

— Sûrement autant que le fait de changer un pneu, non ?

Il joignit son rire au sien et alla chercher leur déjeuner qu'il apporta sur un plateau. Ils mangèrent leurs sandwichs insipides en bavardant gaiement, Harrison la régalant d'anecdotes à propos de son ancien cuisinier.

— Un Ecossais surdoué qui souffrait d'un handicap patronymique terrible pour sa profession : il s'appelait Mc Donald !

— Il aurait pu changer de nom, et se faire appeler Pierre, par exemple.

— Oh non, pas avec un accent comme le sien.

— Dites-moi, Harrison, que faites-vous ici ?

Il prétendit ne pas comprendre ce qu'elle voulait dire.

— Je déjeune en attendant de vous conduire à l'hôpital le plus proche pour vous faire rencontrer l'obstétricien local, juste au cas où.

— Ce n'est pas ce que je voulais dire et vous le savez fort bien. Qui êtes-vous ?

— Un homme d'affaires new-yorkais à la retraite.

— A votre âge ?

Son front se plissa d'inquiétude.

— Vous n'êtes pas… détective ? ajouta-t-elle d'une voix hésitante.

— Quelle idée !

Voilà, pensa-t-il, ce qui expliquait sans doute la touche de méfiance qu'il avait cru déceler chez elle.

— Répondez à ma question : êtes-vous oui ou non détective ? Est-ce qu'on vous a envoyé pour…

— Cléo, voyons ! Qu'est-ce qui vous prend ? Si vous croyez des choses pareilles, pourquoi diable m'avez-vous laissé entrer au lieu d'appeler à police ?

Elle semblait perplexe, désorientée. Peut-être aussi un peu gênée. Il aurait tant voulu la prendre dans ses bras pour la rassurer et pouvoir résoudre tous ses problèmes.

— Ecoutez-moi, Cléo, je ne sais pas ce que vous croyez, ni de quoi vous avez peur. Mais croyez-en ma parole : je suis tout à fait inoffensif.

— D'accord, alors dites-moi qui vous êtes. Qui vous êtes *vraiment*.

— Je vous l'ai déjà dit. Vous voulez voir mon permis de conduire ? Eh bien le voici : Harrison Lancaster Lawless, un mètre quatre-vingt-quinze, quatre-vingt-quinze kilos, cheveux noirs, yeux gris. Ça vous va ?

— Ça ne m'apprend pas grand-chose

— Vous savez le reste. A votre tour maintenant : je *veux savoir* de quoi vous avez peur.

Elle attendit quelques secondes avant de reprendre.

— Je n'ai pas peur de quoi que ce soit.

Il la dévisagea un long moment en silence.

— Prenez votre temps, je ne suis pas pressé. Mais si vous avez besoin d'aide...

Elle ouvrit la bouche, hésita.

— Oui j'ai besoin d'aide, Harrison : pourriez-vous, s'il vous plaît, m'aider à m'extirper de ce truc, il faut encore que j'aille aux toilettes.

Les deux rendez-vous étant respectivement fixés à 14 heures et 14 h 30, Harrison préféra prévoir large et ils partirent dès que Cléo eut changé sa robe froissée par sa sieste dans le hamac.

A peine installée dans la voiture, elle attaqua bille en tête à propos de l'hôpital qu'il avait choisi.

— Ecoutez, j'ai suivi les recommandations de votre propre médecin, dont j'ai trouvé les coordonnées dans votre répertoire téléphonique.

— *Comment* ! Mais vous n'aviez pas le droit de...

— Je sais, et je vous présente mes excuses pour cette indiscrétion. Mais dans la mesure où je suis responsable de vous...

— Mais qu'est-ce que c'est que cette histoire ? Vous n'êtes pas *du tout* responsable de moi !

— Cléo, je vous en prie, laissez-moi...

— Non, *vous* laissez-*moi* parler ! Vous ne vous imaginez tout de même pas que je vais vous laisser diriger ma vie uniquement parce que je vous ai autorisé à rester chez moi en attendant que nous ayons réglé nos affaires et...

— Cléo, ne pleurez pas ! Je vous en supplie, ne pleurez pas.

— Je ne pleure *jamais,* protesta-t-elle, les yeux pleins de larmes. C'est juste votre satané air conditionné qui m'a soufflé une poussière dans l'œil.

— Alors pouce, on fait la paix, d'accord ?

Il rectifia la direction de la soufflerie, puis se tourna vers Cléo pour voir si elle avait besoin d'un mouchoir. Il la vit soudain écarquiller des yeux horrifiés.

Seul l'extrême vivacité de ses réflexes lui permit d'éviter le camion qui débouchait d'un chemin de traverse.

Mais la Land Rover versa dans le fossé du bas-côté.

6.

Harrison arpentait de long en large la salle d'attente du service des urgences. On avait suturé et couvert d'un pansement l'entaille qu'il s'était faite au front, mais il n'y avait accordé aucune importance. Il se sentait comme un lion en cage.

Il agrippa le bras d'une infirmière qui passait près de lui avec un plateau.

— Pouvez-vous aller vous renseigner sur l'état de Mme Barnes ? Elle est dans cette salle depuis…

La jeune femme le regarda, puis regarda la main d'Harrison crispée sur son bras, et celui-ci la retira précipitamment en marmonnant une vague excuse.

— Si elle n'est pas sortie de là pour monter au service gynéco, ça signifie sans doute que tout va bien. Asseyez-vous et cessez donc de vous angoisser comme ça, je vais voir.

Il obtempéra en fronçant le sourcil, resta assis deux minutes, puis se releva et recommença ses allées et venues.

Tout en marchant, il dressait mentalement une liste des choses à faire et des achats à effectuer sur le chemin du retour.

Mais peut-être vaudrait-il mieux d'abord ramener Cléo à la maison et…

Non, il ne pouvait pas la laisser seule avant d'être certain qu'il n'y aurait pas de conséquences fâcheuses.

Des fleurs. Oui, il allait lui acheter des fleurs. Et de l'aspirine pour lui. Et un répondeur. Elle avait dit hier qu'elle devait marcher chaque jour, un répondeur lui permettrait de sortir sans crainte de manquer un appel important.

Il pourrait en profiter pour lui prendre un téléphone portable. Ça pouvait se révéler très utile, un portable, pour une femme vivant au milieu de nulle part et qui risquait d'accoucher d'un moment à l'autre.

A propos d'accouchement, de quoi pouvait bien avoir besoin une femme sur le point d'accoucher ? D'eau chaude ? Dans les films, le médecin demandait toujours à quelqu'un d'aller faire bouillir de l'eau. Mais peut-être que ce genre de méthode ne se pratiquait plus beaucoup. En revanche, une autre idée venait de lui traverser l'esprit : le hamac, il fallait absolument qu'elle cesse d'utiliser ce hamac. Il allait lui acheter une chaise longue avant qu'elle ne se soit rompu le cou. *Deux* chaises longues plutôt. Une pour chaque côté de la maison. Quelque chose de solide, large, confortable. Oui, excellente idée. Il les ferait livrer le lendemain.

Pendant qu'il y était, il ferait bien aussi de faire le plein de crèmes glacées, étant donné la consommation frénétique de Cléo.

De la crème glacée et des chaises longues… C'était bien lui, Harrison Lawless, qui s'apprêtait à acheter de la crème glacée et les chaises longues à une femme enceinte jusqu'aux yeux ? Il connaissait certains journalistes qui, s'ils l'apprenaient, en feraient des gorges chaudes.

Dieu merci, la Presse ne semblait pas beaucoup s'intéresser à la vie paisible de la province profonde. Lorsqu'il avait été hospitalisé après son accident cardiaque, son service de relations publiques avait dû prétexter un check-up de routine, assorti de quelques jours de rééducation pour une élongation musculaire. L'intérêt était vite retombé, pour se trouver relancé dès qu'on avait appris qu'il vendait la Lawless Company. Là encore, ses associés avaient géré le problème, et bientôt, les journalistes s'étaient tournés vers d'autres scandales, d'autres commérages, d'autres personnalités. Bref, il était très heureux de leur avoir échappé et ne tenait pas du tout à réveiller leur intérêt.

Cléo remercia l'aide-soignante qui l'aidait à se rhabiller. On lui avait annoncé que tout allait bien, mais elle se sentait encore très secouée. Sans le réflexe exceptionnel d'Harrison elle aurait pu…

Non, se dit-elle, inutile de penser à ce qui « aurait pu » se passer. Il fallait penser « po-si-tif » avant tout.

Elle descendit avec précaution de la table d'examen, croisant instinctivement les bras sur son précieux fardeau. Le docteur lui avait dit de ne pas s'inquiéter si quelques bleus apparaissaient dans les jours à venir et si elle se sentait courbatue, parce que, juste avant l'accident, elle avait contracté tous les muscles de son corps.

Mais le bébé allait bien. Alors… *Merci mon Dieu.*

L'aide-soignante lui ouvrit la porte et elle se trouva nez à nez avec Harrison, le front barré d'un grand pansement.

— Ah ! vous tombez bien, l'apostropha l'infirmière qui se tenait à côté de lui. Ramenez-le donc chez vous et couchez-le avec une bonne vieille tisane : il a usé ses semelles jusqu'à la corde à arpenter ce hall de long en large pendant que le docteur vous examinait.

Harrison se tournait sans cesse vers elle pour lui jeter des coups d'œil inquiets jusqu'à ce qu'elle lui dise qu'il la rendait nerveuse et qu'il ferait mieux de regarder la route. Lorsqu'il lui répondit quelque chose à propos de l'excellence de sa vision périphérique, elle ne put réprimer une exclamation narquoise, mais elle se reprit aussitôt.

— En tout cas, vous avez d'excellents réflexes, et je suppose que je dois vous en remercier.

— Oh ! ne me remerciez pas. Sans moi, rien de tout ça ne vous serait arrivé.

— Exact. Sans vous, j'aurais sans doute continué à planer sur mon petit nuage rose jusqu'à ce que commencent les contractions, et je me serais retrouvée seule, sans téléphone, avec un pneu à plat. Oui, croyez-moi, je préfère ne pas imaginer ce qui me serait arrivé sans vous.

— Vous vous seriez débrouillée comme une grande, la rassura-t-il avec un sourire.

Mais Cléo savait bien que non.

Oui, elle s'était laissée aller à la dérive. Cela ne lui ressemblait pourtant pas. La dernière fois qu'elle avait ainsi perdu les pédales remontait à la période où elle avait quitté Niles, après qu'il l'eut jetée à terre et rouée de coups.

Oui, rouée de coups.

Niles, avec sa famille si convenable et ses diplômes prestigieux. Niles qui critiquait toujours tout chez elle : sa façon de s'habiller, de se coiffer, de bavarder avec les domestiques comme s'ils faisaient partie de la famille.

Lorsqu'elle s'était rendu compte qu'elle le craignait plus encore qu'elle ne l'aimait, elle était partie.

— Ça va, vous n'avez pas trop chaud ? demanda Harrison. Vous êtes bien sûre que vous n'avez pas mal au cou ? Vous savez, on peut encore retourner à l'hôpital si vous...

— Pour l'amour du ciel, détendez-vous ! Vous paraissez beaucoup plus mal en point que moi. Vous voulez que je conduise ? Remarquez, ajouta-t-elle avec un petit rire, je ne suis pas convaincue d'arriver à me glisser derrière le volant, mais je peux toujours essayer. Autrement, je peux continuer à pied. De toute façon, à l'allure à laquelle vous conduisez votre tank, j'arriverai sans doute avant vous.

Il éclata de rire.

— D'accord, d'accord, je vous fiche la paix. Dites-moi, puisque vous semblez vous porter comme un charme, ça ne vous ennuie pas si je m'arrête en ville pour faire une ou deux courses ?

Cléo ayant répondu par la négative, Harrison se gara à l'ombre d'un gros chêne, régla l'air conditionné en position basse et lui mit un C.D. de musique douce avant de descendre.

Cléo inclina le dossier de son siège et s'installa confortablement, regardant Harrison s'éloigner en direction du magasin.

Etrange individu tout de même. Décoratif. *Très* décoratif même. Mais complètement incapable d'effectuer la moindre tâche domestique. En revanche, et quoi que ne connaissant rien de lui, elle se rendait compte qu'elle lui faisait confiance. Elle en venait à apprécier le rôle protecteur qu'il semblait s'être attribué.

Elle ferma les yeux, et bercée par la musique douce, s'assoupit paisiblement.

C'était vraiment une expérience nouvelle, pensa Harrison, de jouer à la fois le rôle de Père Noël et d'infirmière. Sans vouloir se vanter, il trouvait d'ailleurs qu'il devenait plutôt bon dans les deux rôles.

Il aida Cléo à retirer ses sandales et à s'allonger sur le canapé, puis alla dans la cuisine s'occuper du déjeuner.

Il se mit à chantonner tout en vidant les sacs du supermarché. Là aussi, il se sentait très fier d'avoir fait son marché en vieil habitué de la chose, tout seul comme un grand.

Enfin *presque* tout seul : il s'était fait aider par un vendeur sympathique qui l'avait d'abord conseillé pour les surgelés, puis dirigé vers le rayon des plats préparés en lui assurant qu'il allait « épater sa petite amie avec de bons petits plats ». Essayant de ne pas penser à l'air horrifié de son cuisinier s'il avait pu le voir,

Harrison s'était laissé convaincre par l'enthousiasme du vendeur et avait acheté tout un assortiment de plats allégés et néanmoins alléchants. En tout cas sur les photos des emballages.

Il avait également consacré quelques instants à étudier le fonctionnement du micro-ondes, et maniait à présent l'engin comme un pro.

D'accord, il n'avait jamais mis les pieds dans une cuisine, mais il possédait tout de même un diplôme en électronique.

Lorsqu'il entra dans le salon pour apporter à Cléo le plateau sur lequel il avait disposé leurs repas, il vit qu'elle s'était, une fois encore, assoupie. Le monticule de son ventre relevait le tissu de sa robe au-dessus de ses genoux, et il remarqua qu'elle avait les jambes fines, de jolis pieds, et de ravissants ongles de pieds.

« De ravissants ongles de pieds ? Mon pauvre garçon, ton cas s'aggrave d'heure en heure. »

— Votre dîner, Cléo, vous pouvez vous asseoir ?

Il la laissa se redresser, soulagé de voir qu'elle réussissait sans son aide : étant donné, d'une part, l'effet que lui faisait tout contact physique avec elle, d'autre part, la journée éprouvante qu'il venait de passer, il ne tenait pas à se rajouter plus de stress. Après tout, le cardiologue lui avait demandé, lui aussi, de se ménager.

— C'est supposé être un sauté de veau à l'estragon, expliqua-t-il en s'asseyant en face d'elle. Mais ça ne ressemble pas franchement à la photo de l'emballage.

Le goût non plus ne ressemblait pas franchement à l'interprétation de ce plat par son cuisinier. Ah, si seulement Mac était là…

Avec des si… il pourrait aussi bien regretter d'avoir pris ce chemin de terre, d'avoir entendu parler de cet héritage, d'avoir eu cette attaque…

« Mais alors, Lawless, imagine un peu tout ce que tu aurais manqué… »

— Je trouve l'assaisonnement surprenant, mais on ne peut sans doute pas faire de miracle sans utiliser de matières grasses.

Oui, Mac lui manquait. Peut-être pourrait-il le contacter chez son nouvel employeur et lui proposer de revenir à son service ? De toute façon, il allait devoir se préoccuper au plus vite de trouver du personnel. Il pouvait faire un lit et ranger deux ou trois bricoles, mais l'entretien d'une maison ne se limitait, hélas, pas à cela.

Ils dînèrent en silence et Harrison se demandait à quoi Cléo pouvait bien penser. Et si elle se demandait à quoi lui pouvait bien penser ? Il leva les yeux une ou deux fois et la surprit en train de l'observer. Elle baissa la tête aussitôt en affectant une fascination soudaine pour un morceau de viande trop cuit.

Lorsqu'ils eurent tous les deux terminé, Harrison intima à Cléo l'ordre de rester allongée pour respecter les ordres du médecin, et alla vider les ordures dans la poubelle extérieure — à l'épreuve des ratons laveurs — et charger le lave-vaisselle.

— Où met-on le savon ? demanda-t-il depuis la cuisine.

— Quel savon ?

Elle dut finalement se lever pour lui expliquer le maniement de la machine, se retenant visiblement de pouffer de rire.

— Voilà qui prouve, commenta-t-il avec un sourire angélique, que la vie est toujours pleine d'expériences nouvelles, et qu'après tout, le fait de se sentir idiot n'en est qu'une parmi tant d'autres.

Tôt le lendemain matin, la sonnerie du téléphone réveilla un Harrison très surpris d'avoir passé une si bonne nuit. Il tendit la main pour répondre, puis se ravisa. Après tout, il n'était pas chez lui. Pas encore. Il avait donné ce numéro à plusieurs personnes la veille au soir, mais la courtoisie lui imposait de laisser Cléo répondre la première.

Après la quatrième sonnerie, il entendit sa propre voix énoncer le message du répondeur (Cléo lui avait demandé d'enregistrer l'annonce d'accueil) puis il entendit une voix qu'il ne connaissait pas.

— Cléo, Pierce Holmes à l'appareil. J'ai essayé plusieurs fois de vous joindre, il faut que je vous voie. Rappelez-moi dès que vous le pourrez. Et, Cléo… je vous promets que cet appel n'a rien à voir avec Henry.

Henry ? Qui était cet Henry ?

Et qui diable était ce Pierce Holmes ?

Ils prirent leur petit déjeuner ensemble, mais aucun d'eux ne mentionna le coup de téléphone. Il avait vu Cléo regarder la lumière clignotante du répondeur en passant devant l'appareil, mais sans prendre la peine d'écouter le message. Ce qui signifiait soit qu'elle l'avait déjà écouté, soit qu'elle ne voulait pas l'écouter.

Ils partagèrent un repas sain et sans intérêt. Harrison se surprit encore une fois à rêver des délicieux œufs brouillés au bacon que Mac réussissait si bien.

— J'ai décidé de vous vendre la maison, annonça soudain Cléo d'un ton de voix aussi neutre que si elle avait parlé du temps.

Harrison s'en étrangla avec son café.

— Vous avez *quoi* ?

— Je ne vois pas pourquoi vous feignez la surprise, alors que vous avez passé votre temps à me rappeler cette histoire de contrat. Bref, de toute façon ça n'est pas pour tout de suite. Il faut entre trente et quatre-vingt-dix jours pour régler tous les détails.

Les détails. Elle voulait sans doute parler de la vérification de sa solvabilité bancaire, et il n'allait pas lui faire l'injure de lui apprendre qu'il ne faisait jamais intervenir sa banque pour des achats mineurs.

— Parfait, je ne suis pas pressé.

— Ha ha, et moi je ne suis pas enceinte.

— Un point pour vous, reconnut-il en riant.

Il se leva et alla rincer leur vaisselle avant de la mettre dans le lave-vaisselle, comme elle lui avait appris à le faire la veille, assez fier de lui montrer qu'on n'avait pas besoin de lui expliquer les choses deux fois.

Il l'entendit pousser un gros soupir dans son dos.

— Quoi ? Qu'est-ce que j'ai *encore* fait de travers ?

— On ne met pas la vaisselle dans la machine sans en avoir *d'abord* retiré la vaisselle propre, répondit-elle en levant les yeux au ciel… et en crispant visiblement les lèvres pour ne pas éclater de rire.

— Dites-moi, je voulais vous poser une question : hier à l'hôpital, l'infirmière m'a dit que mon « bel ami » avait reporté son rendez-vous avec le cardiologue et…

— Votre « bel ami », vraiment ? Alors elle m'a pris pour votre…

— Là n'est pas la question. Je voudrais savoir pourquoi vous deviez voir un cardiologue. Pour votre problème de cholestérol ? Il y a quelque chose que vous ne m'avez pas dit ?

Plus tard, Cléo se fit la réflexion qu'on aurait dit qu'il venait de lui claquer une porte au nez : l'instant d'avant, il plaisantait sur son incompétence domestique, et là, tout à coup, il avait repris son air glacial.

— Eh oui, il y a pas mal de choses que je ne vous ai pas dites. Bon, passez donc dans la salle de bains et mettez vos chaussures de marche. Nous allons commencer par cinq cents mètres dans chaque direction, ce qui vous permettra de repasser par la maison au milieu du parcours. Et pendant ce temps-là, je vous dirai ce que vous voulez savoir.

— Vous n'allez pas du tout me dire ce que je veux savoir, vous allez me dire ce que vous *voulez bien* que je sache, et rien de plus.

— Exact. Maintenant, allez chercher vos chaussures de marche.

— Vous pourriez arrêter de me parler comme à une enfant ? Je n'ai pas besoin d'une nounou.

— En êtes-vous bien sûre ? demanda-t-il d'une voix suave.

Elle haussa les épaules et retourna dans la salle de bains. Si son bébé descendait encore un peu plus bas, elle ferait tout aussi bien de s'y installer à demeure.

Il l'attendait sous la véranda, regardant la rivière.

Il se tourna brusquement au bruit de la porte, comme s'il avait oublié son existence, comme s'il avait été perdu dans ses pensées, à des milliers de kilomètres de là.

L'espace d'un bref instant, elle crut percevoir dans son regard une souffrance qui l'émut tant, qu'elle faillit tendre la main pour lui effleurer la joue. Et elle comprit alors que, malgré son assurance, malgré son autoritarisme insoutenable, Harrison Lawless était sans doute l'un des hommes les plus solitaires qu'elle eût jamais eu l'occasion de rencontrer.

7.

Au début, ils marchèrent en silence. Harrison réglait son pas sur celui de Cléo, alors qu'il aurait rêvé de marcher à grandes enjambées pour se défouler.

— Allez en avant, lui proposa Cléo, déjà essoufflée, je vais beaucoup trop lentement pour vous.

— Ne vous en faites pas, je ne suis pas pressé. Mais je pense que nous devrions rebrousser chemin à la rivière, avant de repartir dans l'autre direction. Cela vous ménagera une pause toilette entre les deux.

— Oh, je vous en prie, cessez de vous montrer si prévenant, cela me met mal à l'aise.

— Mal à l'aise ?

— Mal à l'aise, point. Mais ces derniers temps, tout me met mal à l'aise. Alors ne le prenez pas comme une offense personnelle. Au moins, vous ne me donnez pas de brûlures d'estomac.

Il eut un petit rire, puis se concentra de nouveau sur son pas. Cela lui portait sérieusement sur le système de devoir se traîner comme ça. Il avait accumulé — et refoulé — beaucoup trop d'énergie pour passer des heures à déambuler dans les sous-bois à une allure d'escargot.

En fait, au bout de presque une semaine, la nouveauté de la découverte de ce fameux « rythme lent » commençait à s'émousser.

— Arrêtez donc de serrer les poings, Harrison, ça fait ressortir les veines de votre cou.

Elle avait raison. Il sentait la pression monter en lui.

Il essaya de faire un effort pour se détendre. En inspirant lentement et en expirant plus lentement encore. Pour prendre le temps de sentir ces fichues fleurs dont les médecins lui rebattaient les oreilles.

Tout à coup, Cléo trébucha sur une racine de pin et lança les bras en avant, mais il la rattrapa aussitôt par les épaules.

— Attention ! J'aimerais autant que possible éviter la catastrophe.

— Oh, si vous saviez ce que j'en ai marre de me trouver si pataude ! Une chose est sûre en tout cas : je ne vous conseille pas d'essayer la grossesse, vous n'auriez jamais la patience.

— Cela vous surprendra peut-être, ma chère, mais il n'y a pas que la patience qui risquerait de me manquer.

Elle lui répondit par un sourire malicieux, et il commença à sentir sa tension se dissiper.

Oui, il se sentait bien avec cette jeune femme. Du moins lorsqu'elle n'était pas en train de le rabrouer.

Ou de lui faire un tout autre effet…

Ils arrivaient en vue de la maison lorsqu'un camion brinquebalant les dépassa sur le chemin de terre, en soulevant un nuage de poussière.

— Où croyez-vous que va ce type ? Il n'y a aucune autre maison que la mienne au bout de ce chemin.

Harrison, lui, savait où ce camion se rendait pour la bonne raison qu'il avait lui-même demandé la livraison des chaises longues.

— Si vous voulez, je peux courir en avant voir ce qui se passe.

— Oh, il va rebrousser chemin dès qu'il se sera rendu compte de son erreur. Mais allez-y, courez, de toute façon vous en mourez d'envie.

Le large sourire d'Harrison confirma qu'elle avait vu juste. Elle le regarda s'éloigner en longues foulées souples.

Il courait avec l'aisance et l'élégance fluide qu'il mettait dans tous ses gestes. C'était un homme séduisant. Correction : c'était un homme *magnifique*.

Cléo continua son chemin du même pas lent et lourd auquel elle se trouvait condamnée jusqu'à l'accouchement. Tout en regardant les bateaux dériver au fil de l'eau, elle essaya de repenser à des prénoms pour le bébé. Elle en était arrivée au R maintenant, et n'arrivait pas à choisir entre Ramona et Rébecca. Ou Robert, comme son père, si c'était un garçon.

Elle cueillit une branche d'arbuste pour éloigner les insectes, et arriva en vue de la maison.

Le camion était encore là, garé juste à côté du tank d'Harrison qui, en comparaison, semblait tout à coup de dimensions raisonnables. Elle entendait quelque part à l'arrière de la maison un murmure de voix masculines. Elle se laissa tomber sur les marches du perron, épuisée. Dire qu'il n'y avait pas si longtemps, dans la galerie de Tally, elle grimpait parfois trente à cinquante fois par jour en haut d'une échelle pour accrocher de lourds tableaux…

Elle secoua son pied contre le sol, mais ce qui la gênait dans sa chaussure refusa de bouger, et elle ne réussit pas à se plier suffisamment pour atteindre son pied.

Elle se redressait pour reprendre son souffle lorsque deux hommes apparurent au coin de la maison. Harrison et un inconnu en combinaison vert foncé et au visage congestionné qui avait l'air d'avoir bien besoin de quelque chose de frais à boire.

Elle aussi d'ailleurs. Elle allait le suggérer lorsqu'elle vit Harrison glisser un billet dans la main de l'homme, le saluer d'un signe de tête puis revenir vers l'endroit où elle s'était assise.

— Alors vous avez fini votre promenade ? demanda-t-il avec un sourire.

— J'ai quelque chose de coincé dans ma chaussure gauche. Que voulait ce type ? Il s'était trompé d'adresse ? Pourquoi lui avez-vous donné de l'argent ?

— Chaussure gauche ou chaussure droite ?

— Gauche.

Il n'y avait vraiment rien à faire pour le faire changer d'idée. Et elle qui n'arrivait pas à rester concentrée sur quoi que ce soit plus de cinq secondes d'affilée, on pouvait difficilement trouver deux personnalités plus différentes.

Il s'agenouilla devant elle et souleva son pied du sol. Cléo s'appuya avec ses coudes sur la marche du dessus pour ne pas culbuter en arrière, pendant qu'il sortait un fragment d'une feuille de houx séchée, lui époussetait la pointe du pied, et lui renfilait sa sandale.

Au contact de ses doigts sur sa voûte plantaire, Cléo se sentit soudain parcourue d'un frisson délicieux qui la prit complètement par surprise.

Harrison l'observa un moment en silence, et Cléo pensa qu'elle devait vraiment lui paraître pitoyable, pathétique même, avec son chignon à moitié défait, sa robe toute fripée, et son visage rougi par l'effort et par la chaleur. Elle se sentit affreusement gênée.

— Que préféreriez-vous ? Marcher encore un peu ou bien vous allonger à l'ombre avec un grand verre de thé glacé ?

— Vous me le demandez ?

Avec un sourire qui parut à Cléo étrangement… satisfait, Harrison l'aida à se relever, puis lui posa les mains sur les épaules et la fit pivoter en direction du débarcadère.

C'est alors qu'elle « la » vit, à demi cachée par la table et les fauteuils en teck.

L'armature était jaune vif et les coussins, encore emballés dans leur plastique de protection, étaient recouverts d'un imprimé exotique flamboyant — rouge vif, vert cru et bleu électrique ! — qui paraissait tout à fait déplacé dans cet environnement de tons neutres de beige et de bois naturel.

— Harrison, que se passe-t-il ? Vous commencez à emménager ?

— On peut voir les choses de cette façon.

— Bien mais… Enfin regardez cette… cette chaise longue. Elle ne vous *ressemble* pas du tout.

— J'espère sincèrement que non ! s'exclama-t-il en riant. Mais attendez un peu de l'avoir essayée. Je l'ai choisie pas trop basse, juste à la bonne hauteur pour pouvoir s'y installer et en sortir sans problème, et surtout *très* stable. Vous ne réussiriez pas à la renverser même si vous vouliez le faire exprès. Allez, venez l'essayer.

Il avait acheté cette énorme chaise longue pour elle ! Elle ne voulait surtout pas heurter sa susceptibilité, mais elle la trouvait monstrueusement laide. S'il lui avait laissé le choix, elle aurait pris du teck, ou n'importe quel bois naturel, avec des coussins beige ou brun clair, n'importe quoi de *discret*.

— L'imprimé est un peu criard, admit-il, mais le directeur du magasin m'a garanti une stabilité à toute épreuve. Je lui avais dit que c'était pour une jeune femme enceinte de onze mois… et qui attendait des triplés, ajouta-t-il avec un clin d'œil. Attendez une minute que je retire le plastique.

Cléo ne put se retenir de pouffer de rire. Elle le regarda faire une entaille dans le plastique avec un couteau de poche en argent gravé à ses initiales, puis il déchira l'emballage, le retira, et observa Cléo pendant qu'elle s'allongeait précautionneusement sur le matelas.

— Alors ? Qu'en pensez-vous ?

Cléo leva les yeux vers lui et soupira. Comment un homme pouvait-il se montrer si tyrannique et si irrésistiblement gentil à la fois ?

— C'est… agréable… très moelleux.

Il semblait attendre son jugement avec une telle anxiété qu'elle eut pitié de lui.

— Harrison, cette chaise longue est parfaite. Absolument géniale. Peut-être les couleurs sont-elle un peu… voyantes.

— « Gueulardes », vous voulez dire ! Je vous le répète, j'ai privilégié la stabilité sur le style. Vous ne m'en voulez pas trop ? Et en plus, le dossier est inclinable à plusieurs positions. Bon, je vous ai assez fait l'article comme ça, je vous laisse juger par vous-même et je vous rapporte un thé glacé.

Sans laisser à Cléo le temps de le remercier, il retourna dans la maison.

Décidément, pensa Cléo, perplexe, la situation devenait de plus en plus abracadabrante. Si elle laissait faire Harrison, non seulement il continuerait à lui payer un loyer pour cohabiter avec elle dans la maison qui allait devenir la sienne, mais encore il continuerait à la chouchouter comme une nounou attentive… un tantinet tyrannique.

Pourtant, il était tout à fait incapable de s'occuper de lui-même : de toute évidence, il n'avait visiblement pas la moindre habitude des tâches domestiques, même les plus élémentaires.

D'où sortait-il ? S'agissait-il d'un homme d'affaires ayant perdu son entreprise ?

D'un époux abandonné par sa femme ?

D'un amnésique ?

D'un fou échappé d'un asile ?

D'un criminel évadé de prison ?

Elle avait entendu à la radio qu'un type s'était évadé la veille. Mais non, se reprit-elle, inutile de paniquer : Harrison était arrivé chez elle *avant* l'évasion.

En tout cas, qui que fût ce type, et quelle qu'eût été son activité antérieure — et malgré ses goûts pour le moins discutables en matière de décoration —, il faisait vraiment preuve d'une gentillesse confondante.

Cléo découvrit qu'il y avait trois chaises longues : une pour chacun des embarcadères, plus une pour la véranda derrière la maison. Toutes les trois aussi voyantes. Niles en aurait attrapé une attaque ! Il avait fait fabriquer tous ses meubles sur mesure, alors qu'on trouvait à peu près les mêmes dans n'importe quel magasin consacré au mobilier de jardin, mais il avait préféré payer trois fois le prix. Typique.

Cléo découvrit aussi qu'Harrison avait décroché le hamac pour le cacher quelque part. Zut, elle aimait bien ce hamac. Par ailleurs, se dit-elle, autant se faire une raison : espérer vouloir changer le caractère dirigiste d'Harrison équivaudrait sans doute à espérer pouvoir effacer les taches d'un léopard. Une tentative vouée à l'échec.

Elle s'abstint donc de tout commentaire.

D'ailleurs, au cours des jours suivants, elle choisit à plusieurs reprises de s'abstenir de tout commentaire. D'abord, lors de la visite du plombier, qui vint inspecter l'installation, puis de celle de l'électricien qui déclara que les écureuils avaient grignoté certains des fils, mais que, à l'exception de l'éclairage extérieur de la façade Ouest, l'ensemble semblait en bon état. A part cela, le toit ne fuyait pas et les conduits de cheminées étaient sains. Les fondations étaient bien un peu affaissées — ce qui nécessiterait plus tard une intervention — mais sans que cela présente de danger immédiat.

Cléo pensa qu'elle avait vraiment bien fait d'accepter de vendre la maison à Harrison : elle aurait parié n'importe quoi que les travaux sur les soubassements atteindraient vite une fortune. Heureusement, Harrison ne parut pas le moins du monde contrarié.

Il avait peut-être des problèmes, mais, de toute évidence, pas des problèmes d'argent.

Le plus étrange, c'était qu'il semblait avoir de la famille dans le coin. Ou qu'en tout cas, certains de ses ancêtres avaient vécu là à une certaine époque. La plupart des ouvriers qui étaient venus travailler à la maison passaient autant de temps à bavarder avec lui qu'à faire leur travail, mais Harrison les y encourageait, écoutant avec un plaisir manifeste des histoires du pays qui lui étaient tout de même facturées au prix de l'heure.

Il avait, Dieu merci, informé Cléo qu'il prendrait en charge non seulement les visites d'inspection mais encore tous les travaux qui en découleraient par la suite.

Une chose, en revanche, commençait à agacer Cléo : plus elle devenait grosse et empotée, plus Harrison devenait gentil et prévenant. Il semblait s'être détendu à tel point qu'il souriait presque tout le temps, et riait même très souvent.

Oh, bien sûr, ils continuaient à se disputer de temps en temps… Parfois même elle l'emportait, ce qui la consolait un peu de ses misères physiques, de la chaleur, et de ses incessantes visites aux toilettes.

Après l'avoir raillée parce qu'elle nourrissait les corneilles dans de vieilles boîtes de conserve accrochées à des arbres derrière la maison, Harrison lui avait acheté de véritables mangeoires à oiseaux qu'il avait installées lui-même, sans qu'on eût pu déplorer davantage qu'un pouce entaillé, quelques douzaines de clous tordus… et des chapelets de jurons bien sentis.

Ils guettèrent avec une impatience partagée l'arrivée des premiers visiteurs, surveillèrent les premières leçons de natation des canetons nouveau-nés, et se désolèrent ensemble lorsque maman canard s'envola avec ses sept petits pour aller s'installer plus loin vers l'estuaire de la rivière.

Cléo n'aurait jamais cru qu'un homme puisse changer aussi rapidement et, surtout, de façon aussi drastique.

Il s'était même mis au décaféiné et s'inquiétait quand le stock de pamplemousses diminuait !

Il avait bien sûr gardé son insupportable côté tyrannique : un jour, par exemple, il avait découvert les outils de jardinage qu'elle gardait dans un coin, et avait décidé de tous les essayer en commençant par débroussailler les abords de la maison, pour ne pas qu'elle se sente obligée de le faire.

Cela ne lui avait pourtant jamais effleuré l'esprit un seul instant. Elle avait toujours aimé les ronces et les herbes folles. Certaines portaient des baies, et d'autres des fleurs, qu'elle avait souvent dessinées ou peintes.

Mais lui avait de l'énergie à revendre, et elle n'en avait plus du tout. Mieux valait donc le laisser faire.

Cela faisait un peu plus de deux semaines qu'il s'était installé chez elle, et elle avait l'impression qu'il s'agissait plutôt de deux mois. En fait, elle avait presque l'impression qu'ils partageaient la maison depuis des années.

Par ailleurs, elle comme lui avaient cessé de prétendre qu'elle allait partir. A ce point de la situation, la sagesse commandait de ne pas bouger jusqu'à la naissance. Mais ne le savait-elle pas depuis toujours ?...

Dès qu'elle serait de nouveau sur pied, Harrison s'occuperait de son problème de relocation avec sa compétence et son dirigisme habituel. Elle se contenterait de lui donner une liste de spécifications : petite ville — de préférence possédant une galerie d'Art et une bonne école — située en Caroline du Nord ou du Sud, ou même en Georgie. Pas en Virginie. Elle craignait beaucoup trop les réseaux de relations des Barnes dans la région.

Mais tout cela pouvait attendre. Dans l'immédiat, Harrison ne lui laissait pas lever le petit doigt. Il la faisait marcher un kilomètre par jour, veillait à ce qu'elle fasse plusieurs siestes, boive du lait et prenne ses vitamines. Le tout en sifflotant. Bref, un joyeux dictateur.

De son côté, elle l'empêchait de fumer, parce qu'il avait mentionné un jour qu'il avait du mal à arrêter. Elle vérifiait qu'il prenait bien la quantité de fruits et légumes prescrits par les médecins, et s'assurait qu'il courait au moins cinq kilomètres chaque matin.

En somme, chacun prenait soin de l'autre.

Harrison fit venir son matériel : un ordinateur, un fax, ainsi que plusieurs appareils de musculation. Pendant qu'il faisait ses exercices, Cléo lui lisait à voix haute des livres sur la nutrition, ou bien cousait des vêtements pour le bébé.

Elle avait oublié à quel point elle aimait coudre. Pendant longtemps, elle avait dessiné et cousu ses propres vêtements, avec un talent que beaucoup lui enviaient, jusqu'au jour où elle s'était mariée dans un milieu où l'on considérait ce genre d'activité comme réservé aux classes modestes.

Ensemble ils parlaient de l'actualité, d'Internet, et discutaient de l'utilité d'acquérir une antenne parabolique, comme si elle devait rester assez longtemps pour en profiter.

D'après les informations locales, le prisonnier évadé n'avait toujours pas été rattrapé. Harrison lui ordonna de verrouiller portes et fenêtres pendant qu'il s'absentait pour aller courir, et lui interdit de s'éloigner de la maison.

Lorsqu'elle lui fit remarquer que, de toute façon, elle ne pouvait pas s'aventurer bien loin dans son état, il éclata de rire.

— Je commence à croire que vous avez une bonne influence sur moi : je suis devenu calme, presque paresseux, et beaucoup plus à l'aise que je l'aurais jamais cru avec un mode de vie si paisible.

— Et moi, je commence à croire que vous avez sur moi une influence déplorable, en m'incitant sans cesse à remettre au lendemain ce que je pourrais faire le jour même.

— A pardon ! Je refuse avec la dernière énergie d'endosser la responsabilité de vos accès de *flémingite* aiguë et… Aïe ! cria-t-il en recevant le coussin que Cléo venait de lui jeter à la tête pour le faire taire.

— D'accord, admit-elle en riant, j'avoue que vous me faites du bien, vous aussi : vous m'avez presque fait retrouver ma confiance en moi, et j'en avais grand besoin.

Il ouvrit la bouche comme pour poser une question, puis parut se raviser.

— En conclusion, dit-il à la place, nous bénéficions chacun de l'excellente influence de l'autre. Eh bien, que demander de plus ?

Lorsque, le lendemain matin, Harrison lui annonça qu'il avait invité une amie à venir passer le week-end, Cléo ressentit une déception dont l'intensité la surprit. A la pensée que quelqu'un — une femme — allait pénétrer dans le petit nid si douillet, si paisible, qu'ils s'étaient construit tous les deux.

— Parfait, génial, commenta-t-elle en affichant une joie factice. A propos, je pense que je devrais libérer la chambre principale pour m'installer dans l'aile Est. D'ailleurs, peut-être ferais-je mieux de chercher dès maintenant un endroit plus proche de l'hôpital et…

— Cléo, je vous en prie, calmez-vous. Elle s'appelle Marla Kane et je suis sûr que vous allez très bien vous entendre.

— Génial, merveilleux. Vous avez bien fait d'inviter une amie. Mais dites-moi, il s'agit juste d'une amie, ou alors plutôt d'une « petite amie » ? Non, non, ne répondez pas, cela ne me regarde en rien, et je n'aurais pas dû vous poser cette question. Je… je suis désolée, Harrison, je ne sais pas ce qui me prend en ce moment. Que voulez-vous, je n'arrive plus à coordonner ma vivacité de langage avec mon apathie cérébrale.

La limousine arriva en fin d'après-midi, alors qu'ils se préparaient à partir pour leur promenade du soir. Une limousine de dimension raisonnable, certes, pas une de ces extravagances hollywoodiennes, mais une limousine tout de même.

— Harrison, murmura Cléo en s'agrippant à son bras.

— Nick ! s'exclama Harrison en tapotant la main de Cléo d'un geste rassurant. Bon sang, mais qu'est-ce que vous faites dans le coin ?

La portière côté passager s'ouvrit à la volée et un gamin en jaillit comme un diable de sa boîte.

— Ça alors, s'écria-t-il d'une voix surexcitée, une vraie maison de bois comme au camp !

Mais l'attention de Cléo se trouva aussitôt détournée par la vision d'une longue — très longue — jambe qui venait d'apparaître à la porte arrière du véhicule.

Avec des talons de dix centimètres, au bas mot.

— Harrison, mon chou, nous avons décidé de te faire la surprise de venir plus tôt que prévu. Cela nous a pris des *siècles* d'arriver jusqu'ici. Figure-toi que je n'ai trouvé que du champagne dans le bar de la voiture. Franchement, mon chou, cela ne m'a pas paru le drink idéal à partager avec un enfant de neuf ans. Je *défaille* littéralement de soif !…

8.

Cléo en aurait mis sa main au feu : Harrison s'était trouvé aussi surpris qu'elle par l'arrivée de la limousine. Certes, il excellait dans l'art de dissimuler ses sentiments, mais elle avait appris à décrypter certains petits signes : sa façon de crisper sa mâchoire, son imperceptible froncement de sourcils, et le bref éclair de surprise qu'on apercevait dans son regard avant qu'il ne le dissimule derrière un large sourire.

Oh oui, elle commençait à vraiment bien le connaître.

Il avait dit qu'il avait invité une amie pour le week-end, mais il n'avait mentionné ni le jeune garçon qui avait bondi de la voiture comme un chiot surexcité, ni le type basané qui était descendu du siège conducteur.

Ce qui la contrariait davantage — et le fait même que cela la contrarie accentuait encore cette contrariété — c'était la fameuse Marla Kane. Quelle place occupait-elle *exactement* dans la vie de Harrison ? Parente ? Relation professionnelle ? Amie ? Maîtresse ?

Jusqu'à présent, Cléo n'avait relevé aucune marque d'attirance sexuelle de la part de l'un ou de l'autre. Un simple échange de baiser sur la joue, rien de très révélateur.

Et que dire de Nick Bastiani, le conducteur de la limousine ? Il existait de toute évidence une relation amicale entre les deux hommes qui avaient échangé une poignée de main virile assortie de quelques vigoureuses tapes dans le dos. Quant au jeune Reynolds Kane, il avait vraiment tout du jeune chien tout fou, débordant d'énergie et de curiosité.

— Hey, Nick, qu'est-ce que c'est que ces trucs au bord de l'eau ? On dirait des bébés dinosaures et…

— Trésor, interrompit Marla, je t'ai déjà répété cent fois qu'on ne commence jamais ses phrases par « Hey ».

— D'ac', mais qu'est-ce que c'est ?

— En fait, commença Cléo, il s'agit de…

— Que fait ce type dans l'eau avec sa cage ? coupa le jeune garçon, déjà passé à un autre sujet. Je parie que c'est un contrebandier.

— Non, il s'agit d'un…

Elle allait lui expliquer les nasses de la pêche aux crabes, mais il était reparti sur autre chose.

— Et ça c'est quoi ? Et ça ? Et encore ça ?

Elle le vit regarder son ventre distendu et espéra qu'il n'allait pas lui poser des questions sur *ça*. Elle jeta un coup d'œil angoissé à Marla Kane, mais la jeune femme — vêtue d'un pantalon de crêpe marine, d'une blouse de soie vert absinthe et d'un blazer blanc immaculé — paraissait très absorbée par sa conversation avec Harrison.

— Je vois que vous attendez un bébé, déclara Reynolds d'un ton docte, je sais très bien comment ça se passe. Ils nous ont tout expliqué au cours d'éducation sexuelle, ajouta-t-il avec le sourire bagué caractéristique de tous les jeunes Américains en âge de subir un traitement orthodontique.

Avant que Cléo ne trouve quoi que ce soit à lui répondre, il avait aperçu sa famille de canards.

— Hey ! Regardez ça, des bébés canards ! Je peux aller les nourrir ? L'année dernière, au camp, on leur donnait du maïs, vous en avez ?

Elle répondit que non, elle n'avait pas de maïs, mais qu'elle avait des graines pour oiseaux. Que oui, la rivière s'appelait vraiment « l'Alligator », et que non, elle n'en avait jamais vu personnellement, mais qu'on en avait plusieurs fois signalé dans le coin. Et que non, elle ne savait pas vraiment ce qui distinguait les alligators des crocodiles.

La tête commençait à lui tourner lorsque Nick intervint.

— Viens prendre des affaires, Ryp, ta maman est fatiguée.

Cléo trouvait que Marla ne paraissait pas du tout fatiguée. Agacée peut-être — voire irritée — mais pas fatiguée. En tout cas, à juger par la quantité de bagages qu'ils avaient apportés, on aurait pu croire qu'ils envisageaient de s'installer pour plusieurs mois. Harrison s'avança vers les deux plus grosses valises, mais Nick tendit la main pour l'en empêcher.

— Je me charge des bagages, monsieur, vous, vous emmenez Marla et le gosse à leurs chambres.

Monsieur ?

Harrison se dirigeait déjà vers la maison avec Marla et le jeune garçon, elle leur emboîta le pas.

— Wahou ! Visez-moi un peu ces trophées ! s'exclama Ryp.

— Ils te plaisent ? Alors attends de voir ceux que tu vas trouver dans ta chambre.

— Pas vrai ? Il y a des trophées dans ma chambre ? Wahou, cette maison est vraiment *top* !

Evidemment, pensa Cléo, s'il se basait sur les trophées pour qualifier la maison de « top », alors bien sûr on atteignait des sommets.

Elle, pour sa part, avait toujours détesté ces décors macabres, prétentieux — et de véritables nids à poussière —, mais Niles, lui, considérait que cela faisait de l'effet. Ce qui avait toujours revêtu pour lui la plus extrême importance.

Tandis que Reynolds explorait le restant de la maison et qu'Harrison faisait faire à Marla le tour du propriétaire, Nick s'occupait de tout, et chapitra Cléo pour qu'elle reste assise.

— Ma mère a eu onze enfants, madame Barnes, et moi j'étais le numéro six. Elle disait toujours que les dernières semaines, même le fait de respirer demandait un effort, alors je vous assure que vous devriez rester bien tranquille.

Il se chargea donc de faire les lits de l'aile Est, lui assurant que cela ne le gênait pas de partager une salle de bains avec le jeune Ryp, et que les trophées ne le dérangeaient pas non plus le moins du monde.

Ce soir-là, Harrison se rasa pour le dîner. Ce qu'il avait perdu l'habitude de faire depuis son arrivée dans le Sud. Il se rendit compte, tout en regardant son reflet dans le miroir, que sa vie avait toujours, jusqu'alors, obéi à des règles immuables.

Se pouvait-il qu'il eût, en fait, confondu planification et substance ?

Marla avait apporté un Bolinger 89, qu'il accepta avec tous les signes extérieurs de plaisir, alors que Cléo savait pertinemment qu'il craignait et le champagne, et les vins blancs, parce qu'ils lui provoquaient des migraines terribles. Soit Marla l'avait oublié, soit elle n'y avait jamais prêté attention.

Nick avait apporté pour Harrison une boîte de ses cigares favoris. Ce qui lui permettrait de tenir six bons mois, remarqua l'intéressé avec un sourire, ajoutant à l'intention de Cléo que, bien sûr, il s'abstiendrait de fumer à l'intérieur.

Jusqu'à ce qu'elle s'en aille, pensa-t-il pour lui-même.

Curieux, il n'arrivait pas à imaginer la maison sans elle. Il pouvait fort bien se représenter des vêtements de bébé suspendus à ces fichus trophées et des jouets multicolores répandus un peu partout dans la maison. Mais la maison sans Cléo, non. Il n'arrivait tout simplement pas à l'imaginer.

106

Fixant d'un air absorbé les bulles de son champagne, il se demanda comment il s'était trouvé embarqué dans une situation pareille… Et comment diable il allait en sortir.

A supposer, toutefois, qu'il eût *effectivement* envie de s'en sortir.

Il se sentait fatigué, et il voyait que Cléo luttait pour essayer de rester éveillée. En général, elle se couchait toujours vers 10 heures, mais ce soir, visiblement, elle faisait un effort pour faire la conversation avec les invités. Le jeune Ryp était monté se coucher après un repas léger préparé en commun. Même Marla y avait contribué, ce qu'il avait trouvé plutôt inattendu de sa part. Mais, par ailleurs, elle tenait sûrement à faire bonne impression.

Harrison envisagea un instant de proposer à Cléo d'aller se coucher en lui rappelant qu'elle ne devait pas se sentir obligée de jouer les hôtesses pour ses invités à lui, mais il craignit que cela ne la blesse.

Ou alors qu'elle monte sur ses grands chevaux, ce qu'il ne souhaitait pas non plus.

Par un accord tacite, ils avaient tous les deux repoussé à après la naissance la prise de décision concernant l'avenir de Cléo.

Il suivait d'une oreille distraite la conversation, ou plutôt le monologue de Marla sur ses diverses actions caritatives, remerciant le ciel de ne jamais l'avoir demandée en mariage.

Le mariage — même le genre de mariage qu'il envisageait — restait une chose très sérieuse. Sans compter que pour un homme — les statistiques l'affirmaient — les répercussions d'un divorce sur la santé étaient encore pires que le célibat.

La brume recouvrait encore la rivière lorsque Harrison se glissa hors de la maison tôt le lendemain matin. Il s'étira, un muscle après l'autre. Il avait mal dormi, ce qui lui était coutumier. Trop de choses à penser. Cela aussi lui était coutumier.

Au moins, il ne s'était pas réveillé avec la migraine. Sans doute un argument en faveur de la fameuse théorie du « ralentissement de rythme » à laquelle tenait tant les médecins.

— Salut ! Ça va ? Vous allez où ?

Il s'arrêta au milieu d'un mouvement d'étirement et aperçut le jeune Ryp qui revenait de la rivière avec un sac de graines vide dans une main et une badine dans l'autre. Trempé, boueux, et visiblement ravi. La parfaite illustration d'Huckelberry Finn, à part, bien sûr, l'appareil dentaire et les chaussures à deux cents dollars.

— Courir.

— M'man dit toujours qu'on ne doit pas répondre par monosyllabes.

— Ta maman a raison. Je vais courir deux ou trois kilomètres avant le petit déjeuner. Tu peux venir avec moi si tu veux, mais je te préviens : je ne parle jamais pendant que je cours.

— Pourquoi ? Parce que vous n'avez pas assez de souffle ?

— Non, parce que je réfléchis, répondit Harrison d'un ton sec, en se disant une fois de plus que l'éducation de ce gamin laissait vraiment à désirer.

Ils coururent un moment en silence, Harrison s'appliquant à réguler sa respiration.

— M'man dit que je dois l'appeler maman, mais moi je préférerais l'appeler Marla. Mon copain Billy Schummer appelle sa belle-mère Rosemary, je trouve ça cool, pas vous ?

— Pas particulièrement, non. Je préfère maman.

— Ouais, probable.

Ils continuèrent à courir quelques minutes, puis le garçon s'arrêta et le salua d'un signe de la main désinvolte.

— Salut, je rentre, j'ai faim. A tout à l'heure !

Harrison leva les yeux au ciel sans s'arrêter de courir. Décidément, Marla se préparait un avenir joyeux avec un tel rejeton.

A propos de Marla…

Dire qu'il l'avait mise en troisième — ou quatrième — position sur sa liste d'épouses potentielles. Comment avait-il pu croire un seul instant qu'elle se satisferait d'une vie dans une campagne aussi reculée ? Southampton ou Martha Vineyard correspondaient sans doute davantage à sa conception de la « campagne ». Le problème étant que dans des endroits aussi huppés et aussi fréquentés, il retomberait aussitôt dans le tourbillon de mondanités qu'il avait précisément voulu fuir. Ici, il ne connaissait personne à cinq cents kilomètres à la ronde, et cela lui semblait inespéré. Si, par hasard, il en venait à se lasser de l'endroit — et il n'écartait pas cette éventualité —, eh bien, il pourrait toujours déménager.

Pour le moment, en tout cas, il se sentait étonnamment… heureux ici.

En fait, lorsqu'il avait envisagé de demander à Marla de l'épouser, il avait uniquement considéré son point de vue à lui. Tellement certain qu'elle sauterait sur l'occasion d'épouser l'un des « célibataires les plus convoités de la planète », comme l'avait dit cette journaliste.

Dieu merci, il s'était ravisé à temps. Marla méritait beaucoup mieux que ce qu'il s'était préparé à lui offrir. C'était une fille du tonnerre. Belle, intelligente — et assez futée pour ne pas faire étalage de cette intelligence — déterminée et ambitieuse.

Bref, tout à fait comme lui.

Pas très affective, en revanche. Comme lui, là aussi.

Encore qu'il aimât à penser qu'il s'améliorait dans ce domaine.

Oui, il avait trouvé un domaine dans lequel s'améliorer, apprendre, faire des progrès. Cela valait tout de même mieux que de se considérer dépassé, rayé des cadres. « Fini », comme il l'avait cru pendant si longtemps après son accident.

Il revint à la maison essoufflé, en nage, mais revigoré.

Il trouva Nick en train d'astiquer la limousine. Il portait une chemise imprimée léopard, un jean et des mocassins sans chaussettes, et Harrison se dit qu'il comprenait maintenant pourquoi il lui avait quelquefois paru renâcler devant l'obligation de porter sa livrée de chauffeur.

— Je vois que vous maintenez la voiture en grande forme.

— C'est sa première rencontre avec des chemins de terre, ça a dû représenter un sacré choc pour son système.

— Je le suppose, oui, approuva Harrison en riant. Je vais prendre un petit déjeuner, vous m'accompagnez ?

— Je veux vérifier les niveaux avant qu'on ne reprenne la route.

— Rien ne presse.

Nick opina d'un signe de tête tout en continuant à caresser amoureusement la carlingue avec sa peau de chamois.

Harrison trouva Cléo sous la véranda, allongée sur l'une des chaises longues qu'il lui avait offertes, un verre de thé glacé dans une main et un livre sur les serpents dans l'autre.

Agenouillé à côté d'elle, Ryp tenait dans les bras un nid de serpents.

— Oh ! Harrison, vous tombez bien ! Venez donc à mon aide : je dis qu'il s'agit d'un nid de couleuvres, et Nick affirme qu'il s'agit plutôt d'un nid de vipères cuivrées.

— Donnez-moi cinq minutes, le temps de me doucher et je vole à votre secours.

— Oh ! prenez *tout* votre temps…, murmura Cléo avec un doux sourire.

Harrison répondit à son sourire, sous l'œil très intéressé du gamin… qui les regarda l'un et l'autre avec un petit air goguenard.

110

Ce soir-là, Nick prépara des plateaux repas qu'il leur apporta sous la véranda. Cléo commençait à trouver que ce garçon était vraiment une perle. Il lui avait appris qu'il avait été employé par Harrison comme chauffeur, ce qui avait réveillé la curiosité de Cléo à propos de son curieux colocataire. Mais elle avait gardé ses questions pour elle. Quel genre d'homme employait un chauffeur ? Un industriel ? Un politicien ? Un parrain de la mafia ?

« Allons, ma fille se dit-elle, cesse de délirer. »

De toute façon, quel qu'ait été le passé d'Harrison, cela ne la regardait en rien.

— Oh, voici le même voilier que celui que Thad Williamson a acheté l'été dernier, déclara Marla avec un geste en direction de la rivière.

— Encore un peu de thé glacé ? proposa Nick à Cléo.

— Merci beaucoup, mais vous savez, vous me gâtez trop.

— Les femmes sont faites pour être gâtées, surtout dans un moment pareil.

Cléo lui sourit, attendrie par tant de prévenance.

Ryp était reparti en vadrouille, à la recherche de la portée de souriceaux dont Cléo lui avait indiqué la présence, tout en lui faisant promettre de ne pas les effrayer et de ne les toucher sous aucun prétexte.

Harrison savourait son cigare de la journée, les pieds posés sur le rebord de la balustrade, écoutant le bourdonnement des insectes, le clapotis calme de l'eau sur la rive, le ronronnement d'un moteur de bateau au loin sur la rivière, et le murmure des voix derrière lui.

Etrange, pensait-il, comme un homme pouvait vivre trente-sept ans sans rien connaître des petits bonheurs de la vie. Oui, il se sentait heureux, et cela n'avait rien à voir ni avec l'argent, ni avec le pouvoir.

Il accordait à Marla deux jours au maximum avant qu'elle ne veuille s'en aller. Il avait toujours su déceler chez elle les signes d'impatience : elle frottait l'ongle de son pouce gauche, elle tapotait du pied, et buvait un peu plus qu'à l'ordinaire.

D'ailleurs, jusqu'à ces derniers temps, lui aussi avait possédé son propre code de signes. Mais ce soir, il se sentait parfaitement détendu.

Il exhala une volute de fumée parfumée et la regarda s'élever puis disparaître dans le léger brouillard qui s'était levé à la surface de l'eau.

Cette nuit-là, Harrison s'éveilla en sursaut, tiré d'un sommeil profond par quelque chose, un bruit quelconque. Il regarda son réveil : minuit vingt. Qu'est-ce qui avait bien pu le réveiller ? Si jamais c'était encore cette fichue chouette, elle allait entendre de ses nouvelles. Espèce préservée ou pas.

— Toc toc…

Donc ce n'était pas la chouette. Le pivert ? Au beau milieu de la nuit ?

— Toc toc…

On avait frappé à la porte.

Quelqu'un avait frappé à la porte. Marla ?

Marla ? Bon sang, mais qu'est-ce qu'il allait bien pouvoir faire si elle était venue pour coucher avec lui ? D'accord, il avait lu quelque part que c'était sans danger après une crise cardiaque, mais il n'était pas du tout sûr de le souhaiter. Ni même de le pouvoir.

En tout cas, ce qui était sûr, c'est que ça risquait de sérieusement perturber ses plans et…

Oh et puis zut ! grommela-t-il en rejetant ses couvertures et en se levant pour attraper son peignoir. Pour ce que ça lui avait servi de faire des plans…

Il ouvrit la porte.

— Harrison, s'il vous plaît, j'ai besoin de votre aide.

9.

— Que se passe-t-il ? Entrez. Asseyez-vous. Ou plutôt non, allongez-vous. Non, ne vous allongez pas. Je…

— Harrison, je pense que le bébé va bientôt arriver. J'ai eu affreusement mal au dos toute la journée d'hier et quand je me suis mise debout…

Elle leva vers lui des yeux agrandis par l'angoisse, comme si elle attendait qu'il lui dise quoi faire.

« Eh bien, mon vieux, pensa Harrison, c'est le moment ou jamais d'essayer de se rappeler une prière. »

— En êtes-vous certaine ? Peut-être qu'il ne s'agit que d'une crampe musculaire ou…

— Harrison, je vous en prie, j'en suis *certaine*.

— Je… je vais chercher Marla, elle saura quoi faire.

— Il n'y a sans doute pas urgence, pour le premier ça dure souvent longtemps. Mais… je préférerais ne pas prendre trop de risques. Vous voudriez bien m'accompagner ?

— Harrison ? Cléo ? Que se passe-t-il ? s'exclama Marla en les rejoignant. Que faites-vous tous les deux à bavarder dans le couloir à une heure pareille ?

— Je crois que je vais avoir mon bébé, répondit Cléo d'une toute petite voix.

— Vous avez déjà perdu les eaux ?

— Elle a déjà perdu *quoi* ?

113

Sans lui prêter attention, Cléo hocha la tête.

— Oui, répondit-elle à Marla, quand je me suis levée.

— Bon, de toute façon pour le premier vous avez le temps. Quant à toi, dit-elle à Harrison, va chercher Nick pendant que j'aide Cléo à s'habiller.

— Qu'est-ce que Nick vient faire là-dedans ?

— Vas-y donc au lieu de discuter. Vous, venez, ajouta-t-elle pour Cléo en lui faisant signe de la suivre. Je suppose que vous avez déjà préparé votre valise pour la clinique, mais il faut vérifier qu'il ne manque rien.

Cléo lui emboîta le pas, mais s'arrêta tout aussitôt, grimaçant de douleur et crispant les mains sur son ventre.

Marla se retourna, comprit le problème, et s'arrêta à son tour.

— Ça va mieux maintenant ? dit-elle lorsque la contraction fut passée. Bon, alors dépêchons-nous si nous voulons avoir le temps de faire quoi que ce soit avant la prochaine. Je ne comprends vraiment pas pourquoi vous n'avez pas prévu une césarienne avec votre médecin pour vous éviter tout ça, mais après tout c'est votre problème si vous préférez souffrir. N'oubliez pas de vous brosser les dents, vous resterez peut-être une éternité avant de pouvoir le faire. Et prenez une crème hydratante, l'air conditionné dessèche terriblement la peau et…

— Marla, s'il vous plaît, voudriez-vous avoir la gentillesse d'aller me chercher du papier à lettres et une enveloppe ? Vous les trouverez sur l'étagère du bas de la bibliothèque du salon.

— Mon chou, je ne crois pas qu'ils vous laisseront le temps d'écrire vos mémoires. Vous savez qu'aujourd'hui, ils vous renvoient chez vous après deux jours à peine.

— Je vous en prie.

Marla haussa les épaules.

— Puisque vous y tenez. Ah, et n'oubliez surtout pas de prendre des chaussons.

Ils atteignirent l'hôpital en trente-cinq minutes. A cette heure de la nuit, le trafic était quasi nul, et puis Nick conduisait avec une dextérité exceptionnelle. Assis à l'arrière de la voiture, Harrison tenait la main de Cléo, lançant de temps à autre une instruction brève au chauffeur.

— Attention, virage à droite dans cent mètres. Vous bifurquerez vers la 37. Après le pont, vous prendrez la 32. Doucement, doucement. Non, pas vous, Nick. Allongez vos jambes sur le siège. Voi… là.

Il réinstalla Cléo de façon à ce qu'elle puisse s'adosser contre lui, entre ses bras.

— Cela ne va plus durer longtemps, courage, ma puce, lui dit-il d'une voix douce lorsque, à l'arrivée d'une nouvelle contraction, elle lui enfonça les ongles dans les bras.

— Harrison, demanda-t-elle d'une voix altérée, le visage crispé en un rictus de souffrance, vous pourrez me trouver un timbre lorsque nous arriverons à l'hôpital ?

— Chut…, murmura Harrison, tout en lui massant les épaules pour essayer de la détendre. Tout va bien se passer.

— Mais le timbre ?

— Je m'occuperai de ce timbre, promis. Maintenant cessez de vous faire du souci et détendez-vous.

— Facile à dire pour vous, protesta-t-elle avec un petit rire

Et elle se blottit plus étroitement encore contre lui alors que la douleur, une fois de plus, envahissait son corps tout entier.

James Robert Niles Barnes naquit peu après 5 heures du matin. Trois kilos deux, cinquante et un centimètres, et bien sûr le plus beau bébé du monde… malgré son teint rouge brique et ses paupières gonflées.

Harrison était resté jusqu'au bout, puis, après s'être assuré que Cléo était confortablement installée dans sa chambre et lui avoir extorqué la promesse qu'elle devait s'endormir tout de suite, il était reparti avec Nick.

Il était revenu quelques heures plus tard dans sa propre voiture… pour trouver Cléo en larmes. Mais une infirmière le rassura avec un grand sourire et lui expliqua que ce flot de larmes avait été provoqué par l'arrivée de la magnifique composition florale qu'il avait fait livrer à l'hôpital.

Entre deux sanglots — et deux reniflements — Cléo confirma, ajoutant que c'était les plus belles fleurs qu'on lui eût jamais offertes, et qu'il était si gentil, et qu'elle était si heureuse, et qu'elle se sentait si grotesque de pleurer comme ça…

Mais Harrison la fit taire en la serrant dans ses bras, tandis que l'infirmière quittait la pièce avec un clin d'œil complice.

— Maintenant, dit Harrison lorsque Cléo eut retrouvé son sourire, parlez-moi de votre superbe fils.

Cléo lui parla donc du petit Jimmy — en effet beaucoup moins rouge et les yeux beaucoup moins bouffis qu'à l'heure de sa naissance — puis de son propre père, un peintre d'un certain renom qui était mort encore jeune d'une sclérose en plaques — souvenir qui la fit pleurer de nouveau — et enfin elle mentionna la lettre qu'elle avait écrite pour ses beaux-parents et qu'elle demandait à Harrison de bien vouloir poster.

— Au début, je ne pensais pas leur annoncer la naissance, mais j'ai réfléchi : Niles était leur fils unique, je *dois* les prévenir. Même si cela ne les intéresse pas.

D'après les quelques rares allusions que Cléo avait pu faire à ses beaux-parents, Harrison s'était déjà forgé sur eux une opinion assez peu flatteuse. Oh ! elle n'avait jamais formulé aucune critique directe sur eux ni, d'ailleurs, sur son défunt mari, mais Harrison savait fort bien lire entre les lignes, et selon lui, elle se porterait beaucoup mieux sans eux qu'avec eux.

Mais cela ne risquait guère de se produire, Niles ayant été le fils unique d'un père brillant et puissant, tout comme lui-même l'avait été. Et pour les hommes de ce calibre, la notion de « dynastie » revêtait une importance primordiale, Harrison le savait mieux que personne.

— Vous verrez, tout se passera bien. Et puis, pourquoi vous inquiéter ? Vous êtes de taille à leur tenir tête.

— Vous croyez ? murmura Cléo avec une moue dubitative. C'est drôle, vous me parlez exactement comme mon amie Tally. Elle aussi passe son temps à me répéter que je suis « solide comme un roc ».

— Votre amie a tout à fait raison, faites-nous donc confiance à tous les deux.

Elle leva les yeux et lui sourit, de son sourire si doux, mais un peu triste aussi. Alors, mû par une impulsion irrésistible, il se pencha pour lui poser sur le front un baiser léger. Pour la consoler, pour lui prouver qu'elle n'était pas seule au monde.

Il l'entendit pousser un petit soupir, comme celui d'un enfant après un gros chagrin, et lorsqu'il se redressa il s'aperçut qu'elle s'était endormie, comme ça, tout d'un coup. Il demeura un long moment à la regarder dormir. Elle paraissait fatiguée, mais sereine et, pensa-t-il une fois encore, infiniment attendrissante.

— Je ne me rendais pas compte qu'ils allaient me renvoyer si tôt à la maison, ils m'ont donné des tas de manuels de puériculture mais... Je ne sais pas si je vais pouvoir me débrouiller, je...

— Allons Cléo, pas de panique. Vous y arriverez parfaitement. Je vous le garantis. Rappelez-vous ce que dit votre amie Tally.

Ils approchaient de la bifurcation menant à la maison et Harrison ralentit, regardant dans le rétroviseur Cléo observer

117

d'un œil inquiet son fils installé dans le lit auto que la clinique lui avait demandé de se procurer.

— Je sais que vous me prenez tous les deux pour une sorte de super-woman mais…

— Absolument, et nous ne sommes pas les seuls. A propos, Ryp, un de vos fervents admirateurs, est reparti pour New York ce matin et…

— Oh non, ils n'ont même pas attendu de voir Jimmy ?

— Mais si, Marla, Nick et lui sont passés à l'hôpital en chemin. Vous dormiez, alors ils n'ont pas voulu vous réveiller. Mais ils sont passés par la nursery. Ils ont vu Jimmy et ils l'ont trouvé superbe. Par contre, Ryp a pensé que vous allez avoir un mal de chien à trouver un casque de cycliste pour une tête de cette taille !

Cléo éclata de rire.

— Si Ryp est représentatif des petits garçons en général, je me demande comment je vais survivre pendant les années à venir.

— Mais oui, vous vous débrouillerez comme un chef.

Il en était convaincu : il l'avait observée avec le fils de Marla, et avait admiré la façon dont elle se comportait avec lui, le traitant sans condescendance, sans démagogie non plus, comme un individu à part entière et non pas juste comme un enfant.

Tandis qu'elle regardait Harrison porter son fils dans la maison que Niles et elle avaient construite aux jours heureux de leur mariage, Cléo essaya de sourire, mais n'y parvint pas tout à fait. Au moins, elle réussit à ne pas pleurer.

Lorsque Harrison lui proposa de s'allonger pendant qu'il lui préparait quelque chose pour déjeuner — il avait apparemment acheté la totalité du rayon traiteur du supermarché —, elle sentit son menton trembler, parce qu'il se montrait si gentil avec elle alors que rien de l'y obligeait, mais elle réussit à ne pas pleurer.

C'est alors qu'elle entra dans la chambre.

Elle vit le berceau tout neuf, surmonté d'un mobile musical, la bicyclette, le gant et la batte de base-ball, la canne à pêche. Et ces fleurs. Toutes ces fleurs. On aurait cru qu'Harrison avait dévalisé les fleuristes de toute la ville.

Elle se mordit la lèvre, sentit une grosse boule dans sa gorge, poussa un gémissement étranglé, et se retourna vers Harrison pour enfouir son visage contre son torse.

Comme si c'était la chose la plus naturelle du monde, il l'entoura de ses bras, les serrant tous les deux contre lui, elle et son bébé, lui murmurant des mots doux et apaisants qui parurent à Cléo un baume versé sur des blessures dont elle n'avait pas, jusqu'alors, mesuré la gravité.

— Je suis désolée, je suis tellement désolée, souffla-t-elle entre deux sanglots.

— Allons, tout va bien. Tout va aller très bien, maintenant que vous êtes revenue à la maison.

Elle n'était pas vraiment « à la maison ». Ils le savaient tous les deux, mais c'était ce qu'elle avait besoin d'entendre pour le moment. Alors elle ne le corrigea pas. Demain, la semaine prochaine, bientôt en tout cas, elle trouverait la force de faire des projets. S'il fallait envoyer une autre série de C.V., elle le ferait. Elle écumerait les agences de placement, même les sociétés d'intérim. Dans certaines régions du globe, les femmes retournaient travailler aux champs tout de suite après avoir accouché, alors…

Il était très tard quand elle s'affala enfin dans le canapé, épuisée d'avoir essayé de maintenir Jimmy éveillé jusqu'à l'heure de la dernière tétée. Puis d'avoir essayé de trouver pourquoi il continuait à pleurer. Peut-être n'avait-elle pas assez de lait ? Pourtant, ses seins étaient si gonflés, si douloureux.

Il avait tout de même fini, après un rot sonore, par s'endormir dans ses bras. Elle l'avait couché et était longtemps restée à le regarder dormir, avant d'aller dans la cuisine chercher quelque chose à manger.

Harrison avait rempli le réfrigérateur — et le congélateur — de dizaines de litres de glace de tous les parfums imaginables. Et pourtant, aucune ne lui faisait envie.

Elle l'entendait parler au téléphone dans le salon. Il parlait d'une voix différente, plus sèche, plus autoritaire. Un peu comme lorsqu'il avait débarqué sur le pas de sa porte pour lui annoncer qu'il voulait acheter sa maison. Elle attendit qu'il raccroche, puis elle alla le rejoindre avec une assiette de fromage et de fruits.

Avec sa chemise déboutonnée, ses joues ombrées par la barbe qu'il n'avait pas rasée depuis le matin, il paraissait aussi fatigué qu'elle. Il tendit la main et prit quelques raisins dans son assiette.

— Tout va bien ?

— Oh ! Harrison ! Comment savoir si je ne fais pas tout de travers ? Si seulement chaque bébé pouvait arriver avec un guide d'instructions adapté à son cas personnel, je ne sais pas moi, un mode d'emploi…

Pendant les jours qui suivirent « James le Despote » — comme l'avait surnommé Harrison — régenta la maison avec une poigne de fer. Ou plutôt avec des poumons de fer.

Cléo s'excusait sans cesse auprès d'Harrison. Il aurait pu fermer sa porte et n'aurait rien entendu, mais au lieu de cela, il lui apportait du chocolat chaud et des biscuits au beau milieu de la nuit. Il restait ensuite à ses côtés pour s'assurer qu'elle les finirait bien jusqu'à la dernière miette.

— Vous savez, lui dit-elle un matin, après une autre nuit sans sommeil, si vous désirez annuler notre accord, je comprendrai très bien. Il n'est pas trop tard. Eh bien ? insista-t-elle.

— Pas question.

Après tout, pensa-t-elle, cela valait mieux ainsi. D'une part, elle avait donné sa parole qu'il pouvait avoir la maison, et d'autre part, elle se demandait ce qu'elle deviendrait sans lui. *Lui*, pas le loyer qu'il lui versait. Elle n'avait d'ailleurs touché aucun de ses chèques. D'abord par fierté, et ensuite… pour une autre raison.

Parce que, autant l'avouer, ce n'était pas l'argent d'Harrison qu'elle voulait. C'était Harrison lui-même.

Et si *ça* ce n'était pas de la « démence » post-partum, eh bien, elle ne savait vraiment pas quel autre nom lui donner.

— Bien, murmura-t-elle, c'était juste pour savoir.

— Eh bien maintenant, vous savez. Autre chose, ajouta-t-il en se croisant les bras sur la poitrine, je pense que j'ai enfin trouvé une employée de maison. Une certaine Mme Davis. Une veuve qui travaillait dans un bed and breakfast au bord du lac jusqu'à ce qu'il ferme à la fin de la saison. Je pense qu'elle vous plaira.

— Excellente nouvelle, murmura Cléo avec un hochement de tête.

Pourquoi se formaliser du fait qu'une étrangère vienne s'installer chez elle ? Ce n'était même plus chez elle. Du moins pas vraiment. Et puis, il fallait bien le reconnaître, cela la fatiguait terriblement d'essayer de maintenir un semblant d'ordre et de propreté dans cette maison trop grande. Quant à Harrison, ses compétences en matière de tâches domestiques laissaient beaucoup à désirer.

— Bien, je vais nourrir les corneilles, dit-il en se levant pour aller prendre sur une étagère un sac de graines.

Elle hocha la tête avec un sourire un peu triste, émue de voir qu'il avait *aussi* pris en charge le bien-être de ses précieuses corneilles.

Oui, la transition était assurée. Ses protégées, du moins, ne souffriraient pas de son départ de la maison.

Trois jours plus tard, un camion apporta un énorme chargement de matériel informatique et de mobilier de bureau. Lorsqu'ils eurent tout déchargé, Harrison entreprit de connecter les appareils, les yeux brillants comme ceux d'un petit garçon dans un magasin de jouets. Il se lança dans des explications détaillées, pour le bénéfice de Cléo qui détestait tout ce qui touchait à l'informatique, mais ne se serait jamais permis de gâcher cette joie enfantine... et qui, de toute façon, n'entendait pas le dixième de ce qu'il lui disait parce qu'elle observait, fascinée, les gestes de ses mains lorsqu'il parlait, et perdait évidemment le fil de son discours.

Il avait des mains superbes. Puissantes et élégantes à la fois, extraordinairement viriles.

Lorsque, de temps en temps, Cléo sortait de sa rêverie, elle se demandait l'intérêt que l'on pouvait trouver à toutes ces machines, et, surtout, ce qu'un homme tel qu'Harrison, dans la pleine force de l'âge, et avec tous ses diplômes mais sans aucun moyen apparent de subsistance, était venu faire sur les bords de la paisible rivière Alligator...

Peu importait après tout, et elle continuait à admirer ses larges épaules, ses longues jambes, ses fesses hautes et musclées...

La sonnette de la porte d'entrée la rappela brusquement à la réalité.

— Sans doute Mme Davis, marmonna Harrison, le sourcil froncé de concentration au milieu de ses engins sophistiqués.

— J'y vais, dit Cléo en se levant, navrée de devoir abandonner ainsi son poste d'observation.

Ada Davis se révéla être une véritable perle. Petite, impeccable et très compétente, elle était également une mine inépuisable d'informations... qu'elle ne fournissait que lorsqu'on lui posait des questions, ce que Cléo jugea un avantage inestimable.

Elle cuisinait des plats simples de la région, sans se formaliser outre mesure des restrictions diététiques qu'on lui imposait, réussissant à élaborer des recettes délicieuses sans matières grasses et à teneur réduite en sel et en féculents.

Elle rentrait chaque soir chez elle, de l'autre côté de la rivière, dans la maison où elle habitait avec trois chiens et deux chats, et où elle s'adonnait, pendant ses loisirs, à la culture de son potager.

Bref, tout se passait à merveille. Quant à Cléo, elle s'occupait de Jimmy, commentant avec Harrison et Ada ses progrès quotidiens, heureuse de son petit cocon confortable.

Elle s'astreignait cependant à lire chaque jour les journaux auxquels Harrison était abonné. Pour se tenir au courant de l'actualité du reste du monde, bien sûr — encore qu'elle ne se sentît pas particulièrement concernée, mais surtout, officiellement du moins, pour lire les offres d'emploi.

Harrison émergea de son gros tas de jouets pour se lancer dans le bricolage. Ayant décidé que Jimmy avait impérativement besoin d'un endroit où exposer ses cadeaux de naissance, il s'attela à la confection d'une étagère sur mesure — dont Cléo suivit la réalisation avec un œil gourmand — et la fixa au mur, visiblement très fier de son œuvre.

On y disposa les cadeaux : Marla avait envoyé une timbale en argent monogrammée de chez Tiffany's, Nick une balle de base-ball dédicacée par un des joueurs vedettes de l'équipe new-yorkaise, et Tally, un énorme ours en peluche.

Harrison, de son côté, avait fait livrer tout un stock de rocking-chairs : deux pour la véranda, un pour le salon, et un pour la chambre de Cléo.

— Mais enfin, ça n'est pas possible ! protesta-t-elle. Vous avez perdu l'esprit ? Je ne peux pas accepter tous ces…

— Parce que vous comptez m'empêcher d'installer des rocking-chairs dans ma propre maison ? Imaginez-vous que moi, *j'adore* les rocking-chairs : vous y voyez une objection quelconque ?

Non, bien sûr, ce n'était pas du tout ce qu'elle avait voulu dire. D'ailleurs, elle aurait été bien en peine de savoir elle-même ce qu'elle avait voulu dire.

Pas plus qu'elle ne comprenait ce qu'Harrison cherchait à prouver.

Elle avait l'impression qu'ils jouaient tous les deux à une espèce de jeu bizarre dont aucun d'eux n'aurait connu les règles.

10.

Cléo berçait Jimmy dans le rocking-chair sous la véranda, observant Harrison en train de s'adonner à sa dernière lubie — la plantation des tomates —, lorsqu'on entendit une voiture s'approcher dans le chemin.

— Vous attendez de la visite ? demanda Harrison en se redressant.

— Non, sans doute encore quelqu'un qui se sera trompé de chemin.

Cela s'était déjà produit deux fois au cours de la semaine précédente, et tandis que Cléo accueillait les gens avec un sourire, leur expliquait leur erreur et acceptait qu'ils se promènent au bord de l'eau pourvu qu'ils ne dérangent pas les oiseaux, Harrison, lui, avait décidé de faire venir une entreprise spécialisée dans les installations de systèmes de protection anti-intrusion autour des propriétés.

La petite voiture rouge déboula à vive allure et vint s'immobiliser devant la maison en soulevant une grande gerbe d'aiguilles de pin.

Harrison se leva et se frotta les mains sur son pantalon pour en essuyer la terre. Cléo serra Jimmy contre elle en un réflexe instinctif de protection.

Une petite femme rousse jaillit hors de la voiture et claqua vivement la portière derrière elle.

Cléo écarquilla des yeux stupéfaits.

Cindy Minster ? Que diable une secrétaire de chez Barnes, Wardell & Barnes venait-elle faire ici ?

— Ah ! vous voici, Cléo Barnes ! cria la jeune femme d'une voix suraiguë.

Vêtue d'une robe bleu électrique en stretch moulant et juchée sur des chaussures rouges à talons aiguilles, elle se dirigea au pas de charge vers les marches du perron, ses talons s'enfonçant dans les aiguilles de pins, ce qui lui donnait la démarche d'une ivrogne.

Elle pleurait d'une façon hystérique et Harrison se demanda si elle n'était pas tout simplement folle. Cléo s'avança vers la balustrade, l'air plus compatissant qu'effrayé.

— Cindy, que se passe-t-il ? Que faites-vous ici ? Vous êtes blessée ?

— Mais non, je ne suis pas blessée ! Si, d'ailleurs ! Je suis blessée, *très* blessée même, vous croyez quoi ?

Harrison regardait les jeunes femmes d'un air médusé, se demandant s'il était en train d'assister à un quelconque rite sudiste.

Calant son bébé sur la hanche gauche, Cléo tendit sa main libre à Cindy pour l'aider à monter les deux dernières marches.

— Attention aux fissures, elles sont dangereuses pour les talons. Mais dites-moi, Cindy, que faites-vous ici ? Comment avez-vous su où me trouver ?

— C'est le bébé de Niles ? Oh… Niles…, gémit-elle. Son bébé …

— Cindy, vous devriez vous asseoir. Vous vous sentez mal ? Vous avez vraiment une mine effroyable.

Harrison réprima un sourire narquois : question tact, Cléo ne craignait vraiment personne.

La dénommée Cindy se lança alors dans des explications entrecoupées de force sanglots et reniflements, d'où il ressortit qu'elle était venue chercher l'acte prouvant ses droits de propriétaire sur une maison qu'elle voulait vendre.

— Mais pourquoi diable cet acte se trouverait-il ici ?

— Parce qu'il ne me l'a jamais donné, voilà pourquoi. Il promettait toujours qu'il allait le faire, mais il ne l'a jamais fait.

— Qui promettait quoi au juste ?

— Mais Niles enfin ! Il disait que les papiers devaient se trouver avec d'autres rangés quelque part et qu'il me les donnerait dès qu'il réussirait à mettre la main dessus. Mais après vous êtes revenue, et puis il est mort, et puis ils ont mis toutes ses affaires sous scellés, même son bureau, et j'ai pas eu le droit d'aller voir.

Harrison vint prendre le bébé des bras de Cléo, fit entrer les deux femmes dans le salon et les laissa à leur discussion pour aller mettre Jimmy au lit.

Il passa par la cuisine et demanda à Ada de préparer du café, puis entra dans la chambre de Cléo et coucha le bébé à moitié assoupi dans son berceau.

Il se redressa et resta un moment face au vaste lit de la jeune femme, l'imaginant blottie toute seule au milieu. Quel gâchis…

Il envisagea un instant d'aller l'attendre dans son bureau jusqu'à ce que la situation se soit décantée, mais se ravisa et prit la direction du salon, pensant qu'il valait sans doute mieux prendre le contrôle des opérations.

Pauvre Cléo. De deux choses l'une : ou bien elle était bête à pleurer, ou bien elle refusait purement et simplement de reconnaître ce qui s'était passé sous son propre toit.

Non, elle n'était pas bête. Naïve, oui, mais pas bête. Elle faisait même preuve d'une sagesse, d'un bon sens « terrien » qu'Harrison avait rarement rencontré chez qui que ce soit d'autre.

De toute évidence, la flamboyante Cindy avait entretenu une liaison avec son patron, liaison sans doute très intéressée, et elle tenait à récupérer ce que Barnes lui avait fait miroiter.

Harrison ne voyait aucun inconvénient à ce qu'elle mette la main sur une maison, même sur une douzaine de maisons si cela lui chantait, en revanche, il ne *voulait pas* que cette harpie fasse de la peine à Cléo.

— Vous voulez que je serve le café ? proposa Ada en arrivant avec un plateau.

— Merci, non, je m'en charge, répondit Harrison en lui prenant le plateau des mains. Et prévoyez donc un couvert supplémentaire pour ce soir.

Ada se contenta de hocher la tête, mais son regard en disait long sur ce qu'elle pensait.

Tout comme celui de Cléo lorsque Harrison entra dans le salon.

Cindy Minster ayant pris son fauteuil habituel, il se dirigea vers l'autre lorsque Cléo leva vers lui des yeux implorants et lui tendit la main. Alors il vint s'asseoir à côté d'elle sur le canapé, et lui prit la main qu'il serra dans les siennes avec un sourire rassurant.

— Mademoiselle Minster, commença-t-il, existe-t-il une raison particulière qui vous ferait supposer la présence de cet acte ici plutôt qu'avec les autres documents personnels de M. Barnes ?

La jeune femme battit des cils à plusieurs reprises.

— Nous étions ici quand il me l'a donné.

Cléo se pencha en avant, sourcils froncés.

— Lorsque *qui* vous a donné *quoi* ?

— Quand Niles m'a donné la maison.

— Je ne comprends pas : pourquoi Niles vous aurait-il donné une maison ? Cela avait un rapport quelconque avec le travail ? Je sais que vous étiez la secrétaire de Niles mais…

128

Harrison couvrit de sa grande main la petite main fine de Cléo.

— Laissez tomber, Cléo, murmura-t-il.

Il préférait payer cette jeune femme et qu'elle s'en aille, plutôt que de la regarder détruire morceau par morceau le peu de dignité qui restait à Cléo.

Cindy renifla bruyamment, et Cléo lui tendit la boîte de mouchoirs en papier posée sur la table à côté d'elle.

— Merci. C'est ces fichus animaux empaillés. J'y suis allergique.

Voilà donc, pensa Harrison pour lui-même, la véritable raison pour laquelle Niles avait décidé de retirer les trophées de sa chambre : parce qu'il ne supportait sans doute pas que sa maîtresse renifle à longueur de temps… surtout aux moments cruciaux.

— Comment avez-vous su où me trouver ? demanda Cléo une nouvelle fois.

— Cléo…, murmura Harrison.

— Pierce m'a dit que vous étiez là. Il est allé voir la dame pour qui vous travailliez à Chesapeake et…

— Tally savait que je ne voulais pas être dérangée, elle ne lui aurait jamais dit…

— Laissez tomber, Cléo, répéta Harrison d'une voix douce. Si Mlle Minster pense qu'on doit trouver ici un acte qui lui appartient, eh bien nous allons le chercher.

Jusqu'à ce moment, Cléo, malgré tout ce qui avait pu se passer, était restée accrochée à quelques illusions. Elle avait toujours su que Niles était faible, violent, cruel même — verbalement et physiquement — mais en dépit de tout cela, elle l'avait cru lorsqu'il lui avait juré qu'il ne l'avait jamais trompée. D'ailleurs, sans cela, elle ne serait jamais revenue : de nos jours, le vagabondage sexuel était devenu beaucoup trop dangereux. Maintenant, enfin, elle comprenait pourquoi il prétextait toujours avoir invité des clients lorsqu'elle suggérait d'aller passer quelques jours dans leur maison.

— Quoi qu'il en soit, dit-elle en redressant la tête pour garder un semblant de dignité, Niles était mon mari et je ne souhaite pas poursuivre plus longtemps ce genre de conversation.

— Vous l'avez abandonné, vous vous attendiez à quoi ? A ce qu'il entre dans un monastère ? De toute façon, je ne bouge pas d'ici tant qu'on n'a pas trouvé ce papier. D'ailleurs, qu'est-ce qui vous permet de jouer les grandes dames ? Vous vivez avec un autre homme, et je parie que Niles n'est même pas le père de votre bébé. Je...

Le regard perçant d'Harrison la fit se taire brusquement.

Cléo, les yeux baissés, fixait ses mains serrées sur ses genoux. Tellement serrées que les jointures de ses phalanges commençaient à blanchir. Harrison, de nouveau, les recouvrit avec l'une des siennes, puis il attira la jeune femme contre lui et lui passa un bras autour des épaules, en un geste protecteur et tendre à la fois.

Comment, se demanda-t-il, Cléo allait-elle pouvoir absorber le choc de ces sordides révélations ?...

Ils se mirent à la recherche du papier. Cléo ne se rappelait pas où elle avait rangé les documents personnels de Niles, alors ils durent fouiller un certain nombre de cartons. Du moins, elle et Harrison. Celui-ci avait refusé que Mlle Minster participe aux recherches. Elle les surveillait donc depuis le fauteuil qu'elle semblait s'être attribué, alternant larmes et reniflements.

— Il n'y a que des vieux livres dans ce carton-ci, j'ai déjà regardé, dit Cléo d'un air las, agenouillée devant le énième carton qu'ils eurent examiné.

— On n'a qu'à laisser tomber, après tout nous n'avons que sa parole. Peut-être que la maison dont elle parle n'existe même pas.

— Peut-être que si. Et peut-être qu'elle a besoin de la vendre et…

— Vous êtes vraiment incurable de gentillesse, murmura Harrison.

— Parce que vous prenez la gentillesse pour une maladie ?

Il lui effleura la joue d'une caresse légère, ému une fois encore par tant de candeur, tant de bonté sincère.

— Vous n'avez toujours rien trouvé ? demanda Cindy d'une voix geignarde, depuis l'autre bout de la pièce.

— Toujours rien, répondirent-ils d'une seule voix, et ils échangèrent un sourire complice.

Cléo, comme hypnotisée, ne parvenait pas à détacher son regard de celui d'Harrison. Le contact de sa main sur sa joue l'avait littéralement fait fondre. D'ailleurs, elle s'en rendait compte à présent, le moindre de ces contacts, même le plus léger, le plus bref, provoquait en elle des réactions infiniment plus intenses que celles qu'elle avait jamais ressenties, même aux premières heures de sa rencontre avec Niles.

Et pourtant, se dit-elle, dans son état, tomber amoureuse d'un homme tel qu'Harrison relevait de la folie pure.

Ils n'avaient toujours pas trouvé l'acte lorsque arriva l'heure du dîner. Cléo monta nourrir Jimmy, laissant Harrison en tête à tête dans le salon avec Cindy… sans pouvoir se défendre d'un pincement de jalousie, ce qui, une fois encore, l'exaspéra contre elle-même.

Ils passèrent à table lorsqu'elle redescendit et le dîner se déroula dans un silence ponctué par les soupirs mélodramatiques de Mlle Minster. Ils l'invitèrent bien sûr à rester dormir, et Cléo lui prêta même une de ses chemises de nuit — romantique et surannée, en coton blanc bordé d'un volant de broderie anglaise —, ignorant le regard dédaigneux que lui jeta la jeune femme. Ada avait préparé la plus grande des chambres d'amis, surchargée de trophées parce qu'on y avait installé tous ceux que Niles avait retirés de sa chambre.

Cindy s'étant plainte d'une forte migraine, ils montèrent tous se coucher très tôt. Cléo d'ailleurs se sentait littéralement épuisée. Oh, pas physiquement, non, mais moralement. Epuisée, désabusée, écœurée par ce qu'elle venait d'apprendre et qui avait duré tant d'années sous ses yeux, sans que jamais elle ne s'en rende compte.

Mon Dieu, pensa-t-elle en se couchant, quelle folie d'être tombée amoureuse de Niles. Quelle naïveté, quelle bêtise…

Oui, mais Niles lui avait laissé Jimmy, alors, comment aurait-elle pu le regretter ?

Après une autre nuit sans beaucoup de sommeil, Harrison se leva, se doucha et descendit chercher son petit déjeuner.

— Bonjour, Ada, dites-moi que c'est l'arôme merveilleux des œufs au bacon qui monte de vos fourneaux.

— Faux espoir, mon pauvre monsieur, répondit la cuisinière en riant, je vous ai concocté votre porridge habituel. Insipide, mais sans sucre, ni matières grasses, bref, une vraie préparation médicale. Mais je vous ai apporté les premières pêches de mon jardin.

— Génial, s'exclama Cléo depuis la porte, avec de la crème fraîche ?

Elle se tenait sur le seuil, les yeux encore gonflés de sommeil, mais le teint frais et rose comme celui d'une toute jeune fille.

— Si Le Seigneur avait voulu de la crème fraîche sur les pêches, il les aurait créées comme ça.

— Exact, et les cochons nageraient dans de la sauce barbecue, commenta Harrison en riant.

Le téléphone sonna et Ada alla décrocher.

— C'est pour vous, monsieur, annonça-t-elle en tendant le combiné à Harrison.

Il le prit, parla brièvement dans l'appareil puis s'excusa auprès de la jeune femme.

— Je vais prendre la communication dans mon bureau.

Il venait à peine de sortir lorsque Cindy arriva, l'air sombre et la démarche mal assurée.

— J'ai une effroyable migraine, se plaignit-elle en se serrant les tempes en un geste théâtral. Je vous avais bien dit que je ne supportais pas ces fichues bestioles empaillées ! D'ailleurs, autant vous le dire tout de suite, j'en ai cassé une. J'ai jeté des couvertures sur la plus monstrueuse de toutes et elle s'est à moitié décrochée du mur. Elle est peut-être même tombée par terre maintenant.

Ce fut Harrison qui découvrit le coffre. Pas celui de la chambre des maîtres, non, celui-là Cléo l'avait déjà vidé des quelques objets sans intérêt qu'il contenait : un vieux carnet d'adresses, une petite clé dont elle ignorait ce qu'elle pouvait ouvrir, et une centaine de dollars.

Lorsque Cléo lui eut transmis sa conversation avec Cindy, Harrison avait demandé ce qu'elle souhaitait faire du trophée endommagé.

— Vous préférez que je le raccroche ou qu'au contraire je le décroche complètement, si toutefois il n'est pas déjà tombé ?

— L'ours ? Si vous saviez comme ça m'est égal. Vous pouvez le flanquer à la poubelle, ou bien encore le donner à un pauvre type qui aurait besoin de trophées pour booster son malheureux ego.

Harrison sortit de la cuisine, un large sourire aux lèvres : vraiment *très* intéressante cette déclaration de Cléo sur les trophées…

Il alla chercher dans l'atelier l'escabeau et les outils néces-saires et se dirigea vers la chambre d'amis en fredonnant d'un air guilleret.

Cinq minutes plus tard, il ouvrit à la volée la porte de la chambre de Cléo et s'arrêta net.

— Je... désolé, j'aurais dû frapper mais...

Il déglutit avec difficulté, littéralement hypnotisé par le spectacle qui s'offrait à lui.

La lumière qui venait de la fenêtre derrière elle découpait la silhouette de Cléo en ombre chinoise, masquant un côté de son visage. La robe qu'elle portait était ouverte jusqu'à la taille, dénudant une poitrine superbe, gonflée, aux aréoles encore humides de la bouche du bébé qui venait de s'endormir.

Cléo le regardait, immobile, nimbée de cette douceur sereine des « Madones à l'enfant » chères aux peintres de la Renaissance.

— Je... j'ai trouvé, balbutia-t-il, encore étourdi par cette vision de rêve, par cette scène d'une pureté intemporelle.

Cléo baissa les yeux sur l'enfant endormi, referma les pans de sa robe et se leva.

— Chut... laissez-moi le coucher.

Il attendit, bouleversé par des sensations, des sentiments qu'il n'avait jamais éprouvés et qui le dépassaient complètement.

Ce n'était pas de l'électricité. Pas l'un de ces vieux clichés surannés que les paroliers vous ressassent dans des ballades sirupeuses. Non, c'était plutôt comme... une révélation.

Cléo referma doucement la porte derrière elle.

— Que se passe-t-il ? demanda-t-elle, si ce truc est cassé, jetez-le à la rivière. Quoique ce ne soit peut-être pas autorisé. Comment est-on censé se débarrasser d'un ours mort ?

— Oh, le problème ne vient pas de l'ours. Mais de ce qu'il cachait. Vous feriez peut-être mieux de venir voir.

11.

Cléo prit l'une des enveloppes éparpillées sur la table.

— C.M. Vous pensez qu'il pourrait s'agit de Cindy Minster ?

— Ouvrez, vous verrez bien.

— J'ai un peu peur de ce que je vais trouver derrière.

Harrison ne pouvait pas le lui reprocher. Ce coffre secret ne lui disait rien qui vaille.

Ils étaient venus s'installer dans son bureau. Lorsque Harrison avait sorti de la cache la boîte métallique plate qui s'y trouvait, Cléo s'était brusquement rappelé la petite clé qu'elle avait trouvée dans le grand coffre… Et ils avaient passé une bonne demi-heure à la chercher au fond des cartons.

— Allons, Cléo, ouvrez cette enveloppe, murmura Harrison d'une voix douce. A moins que vous ne préfériez continuer à jouer aux devinettes.

— Vous avez raison.

Elle ouvrit l'enveloppe et en sortit une feuille de papier qu'elle déplia.

— En effet… on dirait un document officiel. Etat de Virginie…

Elle leva les yeux, l'air perplexe et blessé à la fois.

— Il lui a donné une maison, dit-elle d'une voix étranglée. Il m'a toujours obligée à cohabiter avec ses parents qui me détestaient, et à elle, il lui a donné une maison…

Pendant un long moment, on n'entendit plus que le froissement des papiers qu'ils étudiaient, et le bruit de leurs deux respirations. En bas, dans la cuisine, la radio diffusait un air de country, qui s'arrêta pour le bulletin d'informations. « Les recherches se poursuivent pour retrouver William Klayton, évadé… ».

— Pauvre Cindy, murmura Cléo.

— Pauvre Cindy ? répéta Harrison, incrédule.

— Oui, maintenant au moins, elle va pouvoir vendre sa propre maison.

— Vous permettez ? demanda Harrison en prenant le document pour le parcourir d'un regard rapide.

Il s'agissait en effet d'un acte de donation directe de Niles Barnes à une certaine Cynthia Wells Minster.

— Vous voulez la lui donner ?

— Voyons, Harrison, la maison est à elle. Nous *devons* la lui donner. Ce que je ne comprends pas, en revanche, c'est pourquoi Niles ne la lui avait pas offerte plus tôt.

— Ce qui m'intrigue encore davantage, c'est le fait que ce papier ait été délibérément *caché*. En général, on conserve les documents importants dans un coffre à la banque, et je suppose que Niles en possédait au moins un. Quel genre de papier peut-on vouloir garder caché dans un endroit où personne ne songerait à regarder ?

— Pas la moindre idée, murmura Cléo dont le visage commençait à trahir une sérieuse inquiétude.

Comment l'en blâmer ? pensa Harrison. Lui-même trouvait tout cela très étrange : les sept grandes enveloppes en kraft fermées et juste marquées d'initiales, et surtout le calepin qu'il avait d'abord pris pour un carnet d'adresses, et qui, en fait, ne contenait que des initiales assorties de colonnes de chiffres.

Si ce qu'il soupçonnait se révélait exact, ces enveloppes contenaient sans doute de quoi détruire les vies de plusieurs personnes.

— Vous voulez que nous ouvrions les six autres ? demanda-t-il gentiment.

Après tout, c'était à elle de prendre la décision. Barnes avait tout de même été son mari.

— Je suppose qu'on ferait mieux, oui, répondit-elle avec un haussement d'épaules fataliste.

De toute évidence, cela lui répugnait au moins autant qu'à lui. Harrison avait vraiment l'impression de fouiller dans les poubelles d'un homme mort.

— Vous ne trouvez pas qu'on a l'impression que cette journée a duré une éternité ? Je n'ai rien fait de particulier, pourtant je me sens aussi fatiguée que si j'avais couru un marathon.

Harrison se mit à rire, soulagé de constater qu'elle s'était bien remise de leur découverte de la matinée. Ils se prélassaient sous la véranda, Cléo dans l'une de ses chaises longues, et Harrison dans le hamac dont ils avaient tous les deux voté l'autorisation de remise en circulation.

— Je dois avouer que je n'ai jamais expérimenté le marathon, mais je crois sincèrement que surveiller Jimmy suffirait à mettre sur le flanc un régiment tout entier.

Sans parler du fait de gérer les états d'âme de la maîtresse de son ex-mari, et de découvrir par la même occasion que, non seulement il l'avait trompée pendant des années, mais qu'en plus, il faisait chanter plusieurs personnes, et qu'enfin, s'il avait gardé l'acte de donation de la fameuse maison promise à Cindy, c'était précisément pour empêcher sa maîtresse de jamais révéler quoi que ce soit de ses sales petites combines.

Bref, l'ignoble individu dans toute sa splendeur.

— Je me sens vraiment désolée pour cette pauvre fille.

Harrison tourna brusquement la tête, éberlué par ce qu'il venait d'entendre.

— Vous vous sentez désolée pour elle ?

— Oui, sincèrement. Comme vous l'avez dit, je suppose qu'elle n'aurait jamais vu la couleur de cette maison. Quant aux autres, ajouta-t-elle avec un haussement d'épaules, je ne sais pas de qui il peut s'agir. Ni l'homme des coupures de journaux, ni celui des photos, ni aucun autre.

Une des enveloppes contenait une bande de négatifs photos, difficile à interpréter, mais sans aucun doute compromettante. Une autre contenait une cassette audio, qu'ils n'avaient pas encore écoutée. Les quatre autres contenaient des lettres, des notes manuscrites, un relevé bancaire, et une photo prise dans une boîte de nuit montrant un couple enlacé sur une piste de danse. Un homme assez âgé et une jeune fille à peine sortie de l'adolescence.

Harrison n'était même pas certain que Cléo eût parfaitement compris la signification de ce qu'ils avaient trouvé, mais lui avait examiné de près le calepin. Les colonnes de chiffres prouvaient sans l'ombre d'un doute que Barnes avait fait chanter ces malheureux depuis des mois, et parfois même des années pour quelques-uns d'entre eux.

— Qu'allez-vous faire de tout ça ? demanda-t-il à Cléo.

— Vous voulez dire des lettres et des photos ?

Ils avaient déjà donné l'acte de propriété à Cindy. Elle les avait remerciés d'une voix altérée par l'émotion, avant d'éclater en sanglots et de se précipiter dans les bras de Cléo qui l'avait réconfortée avec sa gentillesse coutumière.

Harrison était sorti de la pièce en levant les yeux au ciel.

— Je vais les brûler, dit Cléo, en réponse à la question qu'il venait de lui poser. C'est sans doute le plus simple. De toute façon, je ne connais aucune des personnes concernées. Et puis…

je sais bien que vous me prenez pour une folle, mais je vous assure que je me sens sincèrement désolée pour Cindy. Elle était déjà amoureuse de Niles quand il m'a rencontrée. Elle voulait l'épouser, mais les Barnes réservaient à Niles depuis des années une candidate de leur choix.

— Vous ?

— Mon Dieu non ! Moi, je n'avais ni nom ni fortune. C'est d'ailleurs pour ça qu'il m'a épousée. Pour les faire enrager.

— Enfin, Cléo, les gens ne se marient pas pour se venger.

— Et pourtant Niles l'a fait. Il me l'a dit un jour où… Bref, il me l'a dit. D'ailleurs, il avait réussi : notre mariage a rendu mes beaux-parents furieux. Vous pensez, mon grand-père était forgeron en Irlande, mes parents étaient tous les deux des artistes, ex-hippies. Vous savez, Woodstock, faites l'amour, pas la guerre, enfin vous voyez le style. Maman jouait vaguement de la guitare, mais papa commençait à se faire un nom en peinture quand on lui a diagnostiqué une sclérose en plaques. Vous imaginez la suite. Quant à maman, elle s'est tuée en se rendant à l'un de ces éternels festivals de folk-music.

— Je suis navré, murmura-t-il, regrettant de ne trouver rien d'autre à dire.

C'était la première fois qu'elle parlait autant d'elle-même. Cette fille devait vraiment être solide pour avoir survécu à tout cela. Et il aurait parié qu'elle ne lui avait pas raconté la moitié de ses malheurs.

— Et vous ? demanda Cléo avec un sourire un peu tremblant.

— Et moi quoi ?

— Eh bien, je vous ai raconté toute ma vie, alors maintenant c'est à votre tour.

Il eut envie de lui dire la vérité. Vraiment. Mais elle ne l'aurait sans doute pas cru.

— Voyons… par où commencer ? Je crains que mes parents ne vous paraissent sans aucun intérêt à côté des vôtres. Je pourrais peut-être plutôt vous parler de mon arrière-grand-père, le détrousseur de grands chemins.

— Allons, Harrison, un peu de sérieux, protesta-t-elle en riant.

Elle avait un rire très communicatif, et il ne se lassait pas de l'entendre.

— Bon, sincèrement, j'ai passé mon enfance dans le Connecticut, puis je me suis installé à New York voilà environ une quinzaine d'années.

— Et que faites-vous ?

— Vous voulez dire à part changer les pneus et planter les tomates ?

— En tout cas, j'espère pour vous que vous êtes plus doué pour votre job que pour le jardinage ou la mécanique, sinon cela signifie que vous n'aurez jamais les moyens d'acheter ma maison.

Ils n'avaient plus abordé le sujet de la vente ces derniers temps, par un accord tacite, bien qu'il n'y eût plus aucune raison de reporter indéfiniment cette discussion.

— Comme je vous l'ai déjà dit, reprit-il avec un sourire suave, j'ai obtenu un diplôme en électronique et…

— Et le mariage ? coupa Cléo. Je veux dire, vous avez déjà été marié ?

— Marié ? Non.

— A votre âge, ça ne vous paraît pas un peu étrange ?

— Je ne sais pas, vous croyez ? Peut-être que je n'ai tout simplement jamais trouvé le temps. En fait, j'ai vraiment failli une fois. Il n'y a pas si longtemps d'ailleurs.

— Avec qui ? Je veux dire que s'est-il passé ? Non, excusez-moi, cela ne me regarde pas… mais j'avoue que cela m'intrigue au plus haut point. Cette femme devait avoir perdu la tête pour

140

vous avoir laissé échapper, parce que enfin, malgré tous vos défauts, vous feriez sûrement un excellent mari.

— Tous mes défauts !… Vous pourriez me les citer ?

— Non, pas vraiment, la plupart sont sans importance, et de toute façon, j'ai fini par m'y habituer.

— Alors peut-être devriez-vous vous précipiter avant qu'une autre femme ne fasse monter les enchères ?

— Vous vous moquez de moi, n'est-ce pas ?

— Moi ? Quelle idée ! s'exclama-t-il en feignant l'étonnement.

— Oui, vous. Pourtant, pendant longtemps, je vous ai cru dénué de tout sens de l'humour. Et en fait, je me suis trompée. Et puis, vous êtes beaucoup moins tyrannique qu'avant.

— Voilà qui me paraît encourageant.

— Vous apprenez vite et vous n'imaginez pas à quel point c'est rare pour un homme. Je veux dire, pour pouvoir apprendre, encore faut-il pouvoir reconnaître que l'on ne sait pas tout, et ça, certains hommes préféreraient mourir plutôt que de l'admettre. Bref, Dieu merci vous n'êtes pas de ceux-là. Nous disions donc… Ah oui, vous travaillez dans l'électronique. Vous faisiez partie des cadres, je suppose ? On n'apprend pas à devenir aussi autoritaire en travaillant sur une chaîne d'assemblage.

— C'est ce qui vous trompe, ma belle, les traits de caractère sont au moins autant innés qu'acquis.

— Alors, je vais faire très attention à l'environnement dans lequel j'élèverai Jimmy, pour qu'il puisse bénéficier d'influences positives.

Elle n'ajouta rien d'autre, mais Harrison, à voir son air soudain sérieux, savait très bien ce à quoi elle pensait : entre ses parents à elle et ceux de Niles, le jeune Jimmy ne paraissait pas très gâté côté héritage génétique, et élever seule un enfant dans le monde actuel, sans image paternelle forte, ne représenterait sans doute pas une tâche facile.

De gros nuages s'amoncelaient à l'horizon, et on entendait au loin les premiers roulements du tonnerre.

Déjà, Harrison commençait à percevoir la montée des odeurs de la terre, de la rivière et de la forêt, que Cléo lui avait appris à guetter avec l'arrivée du crépuscule. Tout à coup, des nuées de moustiques sortirent de la forêt et Cléo commença à se claquer les bras tandis qu'Harrison grommelait des jurons étouffés. Il sauta à bas de son hamac et vint prendre la main de Cléo pour l'aider à se lever de sa chaise longue avant de l'entraîner en courant dans la maison. Ils refermèrent la porte derrière eux en riant aux éclats, soulagés d'avoir échappé à la horde d'insectes.

Ils se préparèrent des plateaux repas et allèrent s'installer dans le salon devant la cheminée. Cléo avait couché Jimmy à côté d'eux, dans le magnifique landau qu'Harrison était allé acheter dans le plus beau magasin de puériculture de Manteo.

— Ce landau va très vite devenir trop petit pour lui, remarqua-t-elle une nouvelle fois.

Elle lui avait dit la même chose le jour où il l'avait apporté.

— Et alors ? Vous le garderez pour le suivant.

— Il n'y aura pas de suivant.

— Ça, ça m'étonnerait. Vous êtes faite pour avoir des enfants.

— Je laisserai ce landau ici quand je partirai.

C'était la première fois depuis des semaines que l'un d'eux mentionnait l'inévitable séparation.

— Excellente idée, grommela Harrison. Ce sera du dernier chic pour entreposer des bûches près de la cheminée.

— Marla voudra peut-être un autre bébé.

Harrison leva la tête si vite que la cuillère de sucre en poudre qu'il s'apprêtait à verser dans son yaourt lui tomba des mains.

— Répétez-moi ça un peu pour voir ?

— C'est la raison pour laquelle elle est venue, non ? Pour examiner la maison. Oh, je pense que Ryp adorera. Elle, en revanche… Mais vous pourrez n'y habiter qu'une partie du temps. Après tout, l'aéroport de Norfolk se trouve à moins de deux heures de route et…

— Et dire que vous me reprochez mon caractère autoritaire ! Eh bien, ma belle, je suis peut-être autoritaire, mais en tout cas, *moi,* je n'essaye pas d'organiser la vie des gens à leur place.

— Vous m'avez dit que vous aviez sérieusement envisagé le mariage il y a peu de temps, c'était avec Marla, n'est-ce pas ?

Harrison ramassa sa cuillère et épousseta le sucre qui constellait son pantalon.

— J'aurais pu l'envisager un moment, mais en tout cas pas ces derniers temps.

— Alors pourquoi l'avez-vous invitée à venir passer quelques jours ici ?

— Ça ne vous a jamais effleuré l'esprit que l'on puisse vouloir acheter une maison *précisément* pour y inviter des gens ?

Il se rendit compte qu'il avait commis une gaffe terrible avant même d'avoir fini sa phrase.

— Je suis désolé, Cléo. Sincèrement désolé. Vous avez oublié de le mentionner dans votre liste de mes défauts, mais je souffre également d'un total manque de tact.

— Aucune importance. Mais dites-moi, Harrison, que s'est-il passé ? Vous croyez que ça n'a pas marché à cause de moi ? Je veux dire, à cause de ma présence ? Si j'y avais pensé à temps, j'aurais pu lui expliquer ça. Mais je vous assure qu'avec l'arrivée du bébé et tout ça, cela ne m'a même pas « effleuré l'esprit » comme vous dites, que l'on puisse se poser des questions à notre sujet. Peut-être que je devrais l'appeler ?

— Mais non, ma puce, ne vous inquiétez pas.

« Ma puce ? Allons, Harrison… »

— Nous avons été… comment dire, liés pendant un certain temps. Mais cela fait plus d'un an que cette relation a évolué en simple amitié.

— Vous espériez prendre un nouveau départ avec elle, n'est-ce pas ? Sinon vous ne l'auriez jamais invitée ici avant même d'avoir signé l'acte de vente. D'ailleurs, à mon avis, elle l'espérait elle aussi… du moins jusqu'à ce qu'elle voie la maison. Et je ne suis pas certaine qu'elle l'ait trouvée franchement à son goût, mais son excellente éducation lui interdirait de dire quoi que ce soit qui puisse offenser son hôte.

— Ni surtout son hôtesse.

— Je ne vois pas pourquoi elle m'aurait considérée comme son hôtesse, protesta-t-elle en rosissant, mais peut-être que la prochaine fois…

— Il n'y aura pas de prochaine fois.

— Oh ! Enfin, quoi qu'il en soit, je trouve que vous avez excellent goût en matière de femmes — bien meilleur goût que certains hommes de ma connaissance…

— Si c'est à Barnes que vous faites allusion, rendez-lui justice : il a tout de même, une fois en tout cas, fait preuve d'un goût excellent, je peux en témoigner.

— Je… C'est l'une des choses les plus gentilles que l'on m'ait jamais dites, murmura-t-elle avec un sourire timide, merci… infiniment.

Après le petit déjeuner, Cléo mit les restes du dîner de la veille dans une vieille poêle en fer et sortit nourrir les corneilles, frappant sur le métal avec une cuillère de bois pour les attirer, sous l'œil d'Harrison qui l'observait depuis la porte de la cuisine avec un mélange d'amusement et d'attendrissement : Cléo lui avait raconté son espoir de voir un jour les corneilles suffisamment apprivoisées pour accepter la nourriture de sa main — ce qui prouvait un optimisme forcené —, avant d'ajouter avec un haussement d'épaules un peu triste que, bien sûr, elle ne le verrait sans doute jamais. Sans achever sa phrase, mais tous les deux savaient très bien à quoi elle faisait allusion.

— Il vous faudrait un chien, lui dit Harrison lorsqu'elle revint vers lui après avoir vainement attendu les corneilles qui l'observaient du haut des arbres et qui, comme chaque jour, ne descendraient qu'après sa disparition.

— Peu de propriétaires acceptent de louer à des familles possédant un chien.

— Je veux dire pour ici, maintenant.

— Voyons, Harrison, vous savez aussi bien que moi que je ne vais pas rester longtemps. D'ailleurs, il faut absolument qu'on en parle. Vous avez quelques minutes ?

Elle se frotta les mains pour en ôter les miettes qui y étaient restées collées et se dirigea vers la porte, mais s'arrêta net en voyant qu'Harrison ne bougeait pas.

— Entrez, dit-il d'une voix rauque, il faut fermer cette porte si vous ne voulez pas être envahie de moustiques.

Elle avança d'un pas, lui ne bougea toujours pas.

Elle était si proche qu'elle pouvait sentir le parfum de son after-shave. Il allait l'embrasser, elle le savait. Alors, mue par un élan irrépressible, elle leva son visage vers lui et ferma les yeux, s'abandonnant à l'instant, oubliant tout, hors la force des bras d'Harrison se refermant autour d'elle, son corps chaud et ferme pressé contre le sien.

Il posa ses lèvres sur les siennes et elle laissa échapper un petit soupir étranglé. Il intensifia son baiser et elle crut défaillir, emportée par un tourbillon de sensations exquises...

Il détacha ses lèvres des siennes et la regarda un long moment sans rien dire, visiblement aussi désorienté qu'elle.

— Cela fait si longtemps, murmura Cléo. Mais il est encore... trop tôt.

Il hocha la tête, comme s'il comprenait exactement ce qu'elle essayait de lui dire. L'une de ses mains descendit jusqu'à ses hanches, la plaquant plus étroitement, et elle se coula contre lui avec un gémissement de pure volupté.

Il monta son autre main jusqu'à ses cheveux, retirant les épingles de son chignon, libérant leur masse soyeuse jusqu'à la faire retomber en cascade sur ses épaules.

— J'ai eu envie de défaire ce chignon depuis le premier jour où je vous ai vue.

— C'est impossible, j'étais énorme, bouffie, et furieuse.

— Vous étiez belle, visiblement effrayée, et je me rappelle avoir pensé que vous étiez… complètement paumée.

— Je l'étais. Et je le suis encore. Oh, Harrison, tout ça ne rime à rien. Nous sommes si différents.

— Je ne vois pas en quoi cela pose un problème. Vous n'avez jamais entendu dire que les contraires s'attiraient ? En revanche, je reconnais que je n'ai sans doute pas choisi le moment idéal, qu'il est peut-être un peu trop tôt. Mais je suis un homme patient, Cléo, dit-il d'une voix grave. Je saurai vous attendre.

Il inclina la tête pour lui effleurer les lèvres d'un baiser chaste et tendre à la fois, et Cléo crut défaillir de nouveau. Puis, sans un mot de plus, il pivota sur ses talons et alla jusqu'à son bureau dont il referma la porte derrière lui.

L'esprit en tumulte, le cœur battant la chamade, Cléo luttait pour reprendre pied. Essayant désespérément de retrouver un semblant de raison, de se répéter, encore et encore, que la sagesse serait de s'enfuir avec son bébé, pour échapper à l'envoûtement qu'Harrison exerçait sur elle.

Dans la mesure, toutefois, où il n'était pas déjà trop tard…

12.

— Vous avez de la visite ! claironna Ada depuis l'entrée un peu plus tard.

— Oh non ! Pas encore, grommela Harrison en apparaissant à la porte de son bureau.

Cléo sortit de la chambre où elle venait de coucher Jimmy et vint rejoindre Harrison sous la véranda.

Même couverte de poussière, la grande Rolls grise restait reconnaissable entre toutes, et Cléo sentit ses épaules s'affaisser. Mais elle se ressaisit et se força à se redresser pour affronter l'adversaire.

— Ce sont les parents de Niles, dit-elle à Harrison, heureuse de sentir à côté d'elle sa présence rassurante.

— Vous ne me paraissez pas enthousiasmée de les voir.

— Pas vraiment, non. Mais je m'attendais à leur visite : je leur ai écrit depuis l'hôpital pour leur annoncer la naissance de Jimmy. De toute façon, ils l'auraient appris tôt ou tard : mon beau-père a toujours entretenu un réseau tentaculaire de sources de renseignements.

Lorsqu'il descendit de voiture, elle vit qu'Henry Barnes avait beaucoup maigri, mais il lui paraissait encore très impressionnant malgré sa petite taille et son visage rougeaud.

— Où est-il ? demanda-t-il d'un ton péremptoire. Où est mon petit-fils ?

— Bonjour, mon père, bonjour, ma mère, répondit Cléo en essayant de sourire vaillamment.

— Où est le fils de Niles ? demanda Vesper Barnes, d'un ton encore plus autoritaire et plus arrogant que celui de son mari.

— Jimmy dort, vous aimeriez venir le voir ? répondit Cléo en s'appliquant à garder une voix égale, mais furieuse contre elle-même de se sentir toujours aussi intimidée par cette petite femme boulotte et insignifiante, malgré son chapeau « couture », son rang de perles et ses gants.

Elle vit les yeux de son beau-père rétrécir, et les lèvres de sa belle-mère se pincer, et se rappela tout à coup qu'elle n'avait pas présenté Harrison qui se tenait à son coté.

— Mon père, ma mère, je vous présente Harrison Lawless, mon… invité.

— Je *vois*, commenta Henry Barnes d'un ton réprobateur.

Cléo ne lui demanda pas ce qu'il voyait. Cela lui parut inutile. Elle ouvrit la bouche pour expliquer la présence d'Harrison, puis se ravisa. Après tout, elle ne leur devait aucune explication. D'ailleurs, elle ne leur devait rien du tout.

Ada choisit ce moment pour apparaître à la porte avec un plateau chargé d'un pichet de thé glacé et des verres. Cléo bénit secrètement son initiative.

— Allons donc à l'intérieur, proposa-t-elle, il y fait plus frais.

— Je voudrais voir mon petit-fils. C'est la raison pour laquelle nous sommes venus jusqu'ici. Et je pense que votre beau-père a certaines choses à vous dire, si toutefois votre *invité* consent à nous laisser seuls quelques instants.

Vesper Barnes pinça les lèvres de nouveau et traversa la véranda comme s'il s'était agi d'une cour de ferme mal entretenue.

Harrison leur tint la porte ouverte en s'effaçant pour les laisser entrer et Ada suivit les deux femmes à l'intérieur, portant toujours son plateau.

Henry marqua un temps d'arrêt à la porte et dévisagea Harrison d'un œil perplexe.

— Lawless dites-vous… vous êtes de la région ?

— Personnellement non, mais ma famille y a vécu au début du siècle.

— Hum… Je vois… Nous sommes-nous déjà rencontrés ?

— Je ne le crois pas, non, je pense que je m'en serais souvenu.

— Hum…

— J'exige de voir mon petit-fils, déclara Vesper Barnes, les bajoues toutes tremblantes d'indignation.

Cléo allait répondre mais Harrison la devança.

— Voulez-vous que j'aille le chercher ? Je le change et je vous le descends.

— A-t-on idée, franchement ! protesta Vesper d'un ton hautain.

— J'y vais, monsieur, intervint Ada en posant son plateau sur la table basse.

— Volontiers, Ada, la remercia Cléo avec un sourire reconnaissant.

Harrison reporta son attention sur les deux visiteurs.

— Vous vous demandez sans doute la raison de ma présence ici, commença-t-il. Eh bien, en fait, je compte acquérir la maison de Cléo, si toutefois elle consent à me la vendre, et ce, à la date qui lui conviendra.

Mme Barnes jetait à tous les deux des regards ostensiblement suspicieux, mais son mari, en revanche, semblait s'intéresser à tout autre chose.

— Lawless… dites-moi, dites-moi… Ah oui, j'y suis : le numéro de Janvier du magazine Forbes, c'est bien cela ? Mon Dieu, vous ne seriez pas *ce* Lawless-*là* ? Je vous en prie, taisez-vous un instant ! ordonna-t-il à sa femme d'un ton sans appel.

Vesper s'arrêta au milieu de son sermon sur l'importance capitale d'inscrire un enfant dès son plus jeune âge dans une école convenable.

— Niles a toujours été excellent élève, conclut-elle avec son inévitable pincement de lèvres.

— Je n'en doute pas un instant madame, remarqua Harrison, ravi de pouvoir détourner l'attention de Henry Barnes. D'ailleurs, il montre déjà tous les signes d'une intelligence exceptionnelle.

Dans la mesure, pensa-t-il pour lui-même, où l'on peut retenir comme critère d'intelligence — chez un enfant de cinq semaines — sa capacité à ingurgiter le lait de sa mère. Et là, en effet, Jimmy faisait preuve d'une indéniable compétence, Harrison pouvait en témoigner.

— Vesper, ma chère, sais-tu bien qui fréquente notre Cléo ?

Notre Cléo !

Cléo et Harrison écarquillèrent tous les deux des yeux stupéfaits.

— Je ne fréquente personne, et de toute façon, même si c'était le cas, cela ne concerne que moi.

— Henry, je t'en prie, dis quelque chose. Je ne tolérerai pas de voir le fils de Niles…

— Et voilà le jeune homme ! déclara Ada à la cantonade en entrant dans le salon. Tout beau, tout propre ! Vous voulez le prendre dans les bras avant qu'il commence à s'agiter pour réclamer son biberon ? En général, ça ne tarde pas dès qu'il est réveillé.

— Oh mon Dieu !…, murmura Vesper Barnes. Elle retira ses gants et tendit ses bras pour prendre l'enfant. Oh, mon trésor… Henry, regarde : il ressemble tout à fait à Niles au même âge. N'est-ce pas ? Oh, mon petit cœur, regardez-moi ces yeux, exactement le même ton de bleu !…

Harrison observa un moment la transformation de cette femme sèche et hautaine en une grand-mère attendrie, puis il se tourna vers Cléo, dont le visage reflétait tout un éventail d'émotions. De la surprise, du soulagement, et de la compassion.

Oui, de la compassion.

Et d'ailleurs, pourquoi est-ce que cela le surprenait tellement ? Pour une femme qui avait réussi à survivre cinq ans avec cette paire de piranhas, sans parler de l'ignoble salaud avec lequel elle avait été mariée, elle était vraiment restée beaucoup trop sensible.

Henry Barnes, de son côté, examinait Harrison avec un air de plus en plus admiratif. Harrison reconnaissait les symptômes : ses interviews dans la presse suscitaient toujours ce genre de réaction de la part de gens dont il aurait volontiers évité la fréquentation.

Ce qui l'ennuyait davantage, c'était que Cléo risquait d'apprendre par les Barnes une version très exagérée de la réalité, avant que lui-même n'eût pu relativiser les choses.

Oh, il savait qu'il aurait dû tout lui expliquer depuis longtemps déjà, mais il avait craint que cela ne modifie leur... relation.

Il ne savait pas vraiment comment qualifier cette relation. Il savait très bien, en revanche, comment il souhaitait qu'elle évolue.

Les Barnes restèrent déjeuner, puis dîner. Cléo proposa même de leur préparer l'aile Ouest mais Vesper l'en remercia, s'excusant de devoir décliner son offre parce qu'un couple d'amis les avait invités à passer quelques jours chez eux, et les attendaient le soir même. Décidément, pensa Cléo, sa belle-mère avait perdu beaucoup de sa raideur en faisant la connaissance de son petit-fils. Et elle se prit à regretter de ne pas avoir pu connaître, du vivant de Niles, cette version « adoucie » de cette terrible femme. Elle avait tant souffert de son attitude méprisante, cassante, despotique. Mais il était trop tard à présent, et tous les regrets du monde ne pourraient suffire à effacer des souvenirs si douloureux.

Ce soir, elle avait hâte qu'ils s'en aillent.

Henry Barnes continuait à pérorer de façon insupportable, visiblement dans l'espoir d'impressionner Harrison. Cléo observait le manège de son beau-père avec un étonnement teinté de mépris : il lui paraissait pathétique, à faire la roue ainsi devant Harrison.

Harrison, quant à lui, observait Cléo avec un respect grandissant. Dire que cette malheureuse avait passé cinq années enfermée avec deux personnages aussi imbus d'eux-mêmes, aussi antipathiques, et qu'elle y avait survécu.

Conservant un masque impassible, il écoutait d'une oreille distraite le monologue d'Henry Barnes, tout en regardant la façon dont la lumière découpait le ravissant profil de Cléo : elle lui rappelait la jeune femme de l'aquarelle de sa chambre. Souvent, en regardant le tableau, il se demandait ce que pouvait penser cette jeune femme. Et maintenant, il s'était demandé ce que pouvait penser Cléo.

Jusqu'à présent, il avait réussi à dévier la conversation pour maintenir Barnes à distance des sujets dangereux, mais nul doute qu'après leur départ, Cléo allait lui demander des éclaircissements.

Enfin, l'heure attendue du départ arriva. Ils sortirent sous la véranda pour voir les Barnes partir, Cléo portant dans ses bras un Jimmy à moitié assoupi.

Quand la voiture eut disparu au détour du chemin, Cléo entra et alla sans un mot s'asseoir dans le rocking-chair du salon.

Harrison essayait de se convaincre que peut-être il s'était inquiété pour rien et que, accaparée par sa belle-mère, elle n'avait pas prêté attention aux boniments de son grotesque beau-père.

— Je pense que ça s'est plutôt bien passé, non ? demanda-t-il lorsque le silence commença à lui peser.

— Hum hum…

— Jimmy a été parfait.

— Jimmy est toujours parfait.

— Certes, approuva Harrison avec un petit rire, mais reconnaissons que sa perfection se trouverait encore accrue s'il parvenait à faire la différence entre le jour et la nuit.

Cléo continua à se balancer sans répondre, la joue posée sur les cheveux fins de son fils, les yeux dans le vague, l'esprit visiblement à des lieues de ce salon.

Harrison attendait, se sentant de plus en plus nerveux.

— Alors ? demanda-t-il enfin.

— Alors quoi ?

— Alors, qu'avez-vous pensé ? Je veux dire, à propos de cette visite ?

— Rien de particulier. Ma belle-mère m'a dit qu'ils allaient passer deux jours chez leurs amis avant de retourner à Richmond.

— Oh ! Je pense qu'elle reviendra. Et dans très peu de temps.

— Jimmy et moi ne serons plus là.

Il se redressa d'un bons.

— Pardon ? Qu'est-ce que c'est que cette histoire ?

— Cette histoire ? J'ai toujours dit que j'allais partir, je ne vois pas ce qui vous étonne là-dedans. Vous ne croyez pas que vous forcez un peu votre côté surpris, non ?

— Oh ! Je vous en prie, n'essayez pas de noyer le poisson, et dites-moi plutôt pourquoi vous vous découvrez cette hâte soudaine. Vous n'étiez pas particulièrement pressée jusqu'à aujourd'hui. Que craignez-vous ? Que Mamy Barnes revienne avec des renforts pour kidnapper votre fils ? Ou bien vous avez peur de ce type… Holmes ?

— Holmes ? répéta Cléo, étonnée. Oh je vois… vous avez écouté les messages sur mon répondeur. Non, Holmes n'a rien à voir là-dedans. Il ne représente aucun danger pour moi. Il travaille au Cabinet Barnes et il sort maintenant avec Cindy, donc il défend ses intérêts, voilà tout. D'ailleurs, Cindy m'a affirmé qu'il ne s'intéressait pas du tout à nous.

— Et vous l'avez crue ?

— Bien sûr, quelle raison aurait-elle eue de me mentir ? Quant à moi, j'ai *toujours* dit que je quitterais la maison lorsque nous serions parvenus à un accord.

— Ne me prenez pas pour un idiot, voulez-vous ! Depuis que je vous ai convaincue de me vendre cette maison, vous n'avez pas cessé de changer d'avis à ce propos. Bref, pourquoi cette fuite soudaine ?

— D'une part, ce n'est pas vous qui m'avez convaincue de vendre la maison ; d'autre part, il ne s'agit pas d'une fuite comme vous dites. Et enfin… eh bien disons que j'avais besoin d'un peu de temps pour réfléchir.

Harrison hocha lentement la tête.

— Eh bien, ma fille, on peut dire que vous êtes du genre coriace !

— Chut… ne réveillez pas Jimmy ! Je vais le coucher. Et si après vous voulez discuter de tout ça, alors, on en discutera. Mais autant vous prévenir tout de suite que je ne changerai pas d'avis.

Harrison la regarda quitter la pièce avec son fils dans les bras, admirant malgré son agacement sa silhouette redevenue voluptueuse, ses jambes redevenues fines, et ses ravissants pieds nus. Elle adorait marcher pieds nus et s'était débarrassée de ses chaussures dès le départ de ses beaux-parents.

Il trouvait vraiment cette fille incroyablement sexy. Rien de neuf du reste : il la trouvait déjà sexy avant la naissance de son bébé, alors qu'elle devait peser quinze bons kilos de plus qu'aujourd'hui.

Bon, il la trouvait sexy, et alors ? Cela ne signifiait pas pour autant que…

Et si. Cela signifiait très exactement ce qu'il craignait que cela signifie. Que maintenant, au lieu d'être accro du monde des affaires, il était devenu accro à une femme.

Et pas de n'importe quelle femme. Celle-ci ne cadrait pas du tout avec les plans si précis qu'il avait échafaudés pour son avenir.

D'abord c'était une artiste, donc ils vivaient tous les deux sur des planètes différentes, où on ne parlait sans doute pas le même langage.

Au fait, en y repensant, il savait maintenant qui avait peint les aquarelles de sa chambre : Cléo bien sûr. Comment ne s'en était-il pas rendu compte plus tôt, elles lui ressemblaient tellement ?

Il se rappela que, le soir de son arrivée, il était tout de suite tombé sous le charme de ces aquarelles.

Donc, Cléo était une artiste, et lui, le propriétaire, P.-D.G. et actionnaire majoritaire, d'une Compagnie multinationale.

Du moins, il *l'avait été*. Plus rien de tout cela n'était vrai aujourd'hui. Et, sans ses titres ronflants, que lui restait-il ? Que pourrait-il objecter à Cléo si elle regardait à l'intérieur de lui et ne voyait que du vide ? Ce n'était pas son argent qui allait l'impressionner, ça non. Pas davantage que le fait qu'il eût été élu l'un des « célibataires les plus convoités de la planète » : là, elle risquait même d'éclater de rire.

Il pouvait toujours essayer de lui faire le coup de l'infirmière : en lui disant qu'il n'était qu'un pauvre homme au cœur fragile. Non, il préférerait mourir que de lui inspirer de la pitié.

En somme, et pour se résumer, il n'avait pas la moindre idée de la façon de « gérer » une femme telle que Cléo.

Il sortit sous la véranda pour attendre qu'elle eût fini de changer le bébé et de le coucher pour la nuit. Ou du moins pour les deux à trois heures à venir.

Au bout d'un moment, une pluie fine se mit à tomber et il resta là, immobile, fixant sans la voir la rivière à ses pieds.

Ada sortit et ouvrit son parapluie.

— Enfin la pluie, ça va faire du bien.

Harrison murmura un vague assentiment. De toute façon, si elle lui avait annoncé que la maison était en flammes, il n'aurait pas davantage réagi. Il se sentait comme anesthésié.

— Si vous cherchez Cléo, continua Ada, vous la trouverez dans sa chambre en train de lire le journal. Elle m'a dit qu'elle épluchait les petites annonces. Elle va s'abîmer les yeux à lire comme ça dans son lit.

— Les petites annonces… Merci, Ada. Bon retour et à demain matin.

Ada hocha la tête en marmonnant quelque chose d'incompréhensible, puis se hâta jusqu'à sa voiture.

Harrison monta se doucher et se changer, puis il alla dans la cuisine préparer un chocolat chaud. Il mit au four des croissants surgelés que lui avait conseillés son copain le vendeur du supermarché et déposa le tout sur un plateau en y ajoutant une assiette de fruits : des pêches du jardin d'Ada, des fraises et des kiwis. Evidemment, comme calumet de la paix il aurait pu trouver mieux. Mais ce n'était pas la paix qu'il voulait obtenir, c'était une… confrontation.

Debout devant la porte de Cléo, il prit une profonde inspiration pour se donner du courage. Franchement, il ne savait pas comment il allait pouvoir mener cette opération. Les opérations financières, les contrats industriels, les fusions-acquisitions, les OPA, tout cela, il savait faire. Mais là, devant cette porte, l'enjeu de ce qui l'attendait le pétrifiait littéralement. D'abord, parce qu'il n'était pas certain de bien connaître son objectif exact.

Ensuite, parce qu'il se demandait ce qu'il allait bien pouvoir faire lorsqu'il l'aurait atteint.

Jamais, en revanche, il n'envisagea l'éventualité d'un échec.

Il frappa doucement.

— Ouvrez-moi, je sais que vous êtes réveillée.

— Il est tard, Harrison, allez vous coucher.

— Allons, ouvrez-moi, dit-il d'une voix enjôleuse, je vous ai apporté du chocolat chaud avec des tas de bonnes choses.

— Quel genre de bonnes choses ?

Génial, elle mordait à l'hameçon.

— Du chocolat chaud avec une assiette de fruits et des mini viennoiseries toutes chaudes sortant du four.

— Bon, d'accord, entrez, sinon vous allez finir par réveiller toute la maison.

Il entra donc avec son plateau, luttant pour ne pas trahir par un sourire satisfait sa joie d'être parvenu dans la place.

13.

Elle venait de commettre une erreur. Une grave erreur.

Elle n'aurait pas dû laisser entrer Harrison dans sa chambre.

Elle n'aurait pas dû, non plus, l'abandonner tout à l'heure seul sous la véranda au lieu de redescendre régler avec lui une bonne fois pour toutes les questions laissées en suspens.

Elle n'aurait pas dû, pour commencer, laisser entrer ce grand homme somptueux aux yeux gris à qui elle avait ouvert la porte quelque temps auparavant.

Mais la plus grave de toutes ses erreurs, c'était, incontestablement, d'être tombée amoureuse du grand homme somptueux en question.

— Il dort ? demanda Harrison en baissant le ton, et Cléo, comme chaque fois qu'elle entendait cette voix si grave et si sensuelle, sentit son corps parcouru d'un frisson délicieux.

Elle répondit par un signe de tête et resserra la ceinture de son peignoir. Si seulement elle ne s'était pas déshabillée. Si seulement elle avait fait semblant de dormir. Si seulement…

Non, mieux valait ne pas détailler tous les souhaits qui lui venaient à l'esprit.

— J'attendais sous la véranda que vous redescendiez. Nous devions parler, vous vous rappelez ?

Il aurait aisément pu passer pour un de ces mannequins masculins, un peu plus âgé que la moyenne, sexy et classe à la fois, à côté desquels les autres modèles faisaient figure d'adolescents sans consistance.

Il était déjà venu dans sa chambre un nombre incalculable de fois, la nuit, pour lui apporter du lait chaud et lui tenir compagnie pendant qu'elle nourrissait Jimmy. Il avait fabriqué sa fameuse étagère pour exposer les cadeaux de naissance. Il s'était balancé dans le rocking-chair qu'il lui avait offert et lui avait lu à voix haute des articles de journaux pendant qu'elle restait allongée dans son lit, Jimmy endormi à côté d'elle. Il lui avait lu des pages sur le jardinage et la puériculture, alors qu'elle savait très bien que son intérêt le portait davantage vers les pages économiques.

Ce soir, il avait apporté un plateau de délicieuses viennoiseries chaudes dont le parfum embaumait la chambre. Mais pourquoi ce plateau lui rappelait-il tant le cheval de Troie d'Homère ?

— Alors, commença Harrison, expliquez-moi un peu cette soudaine lubie de départ.

— Il est grand temps, vous savez. Jimmy aura six semaines dans quelques jours.

— Je ne vois toujours pas la nécessité de vous précipiter.

— Je ne crois pas, dit-elle en riant, qu'on puisse vraiment parler de précipitation. La maison est bien sûr à vous, si vous la voulez encore et… j'apprécie votre patience. Infiniment.

— Enfin, bon sang ! Il ne s'agit pas de patience ! Vous adorez cette maison, alors pourquoi voulez-vous vous en débarrasser à tout prix ?

— Je vous l'ai déjà expliqué cent fois. C'est vrai, j'aime cette maison, mais elle est trop grande, trop isolée, trop éloignée d'une ville où je pourrais trouver du travail. Et puis, j'ai besoin d'argent. Je vous remercie de m'offrir un peu plus de temps, de prolonger mon sursis, mais cela ne servirait à rien.

Non, à moins qu'il ne lui offre le reste de ses jours.

Il ne répondit pas mais l'intensité de son regard la troubla.

Elle resserra nerveusement les pans de son peignoir. Jamais elle ne s'était sentie aussi peu désirable de toute son existence, et jamais elle ne l'avait davantage regretté.

— Cléo ?

— Ecoutez, si vous avez changé d'avis — et qui pourrait vous en blâmer ? —, je préviendrai l'agence et j'attendrai qu'elle me trouve un autre acheteur. En tout cas, je vous en prie, cessez de me dévisager comme ça.

— J'aime vous regarder. J'aimerais faire beaucoup plus que…

— Vous disiez que nous devions parler. Eh bien, dites-moi ce que vous avez à me dire, et partez. Il est tard et il faut que je dorme avant que Jimmy ne me réveille pour la prochaine tétée.

La première fois qu'il avait débarqué dans sa chambre pendant qu'elle était en train de nourrir Jimmy, tous les deux s'étaient sentis affreusement gênés. Il avait rougi et était ressorti et, pendant les jours qui avaient suivi, elle n'avait pas pu le regarder sans revoir l'expression de son visage ce jour-là.

La deuxième fois aussi avait été accidentelle. Ils avaient deux affiché une désinvolture qu'aucun des deux ne ressentait vraiment. Mais après cela, Harrison avait toujours paru se débrouiller pour trouver une excuse ou une autre afin de venir la rejoindre pendant qu'elle nourrissait Jimmy. Il semblait prendre tant de plaisir à ce petit rituel qu'elle l'avait laissé rester. Et puis, elle aimait beaucoup cette impression qu'elle avait alors de partager avec lui quelque chose de spécial. D'intime.

C'était donc devenu une habitude. La dernière tétée du soir. Harrison apportait toujours quelque chose à grignoter qu'ils partageaient lorsque Jimmy s'était endormi. Elle avait lu quelque part que la plupart des jeunes mères attendent avec impatience le moment où leurs bébés font enfin des nuits complètes.

Cela n'était pas du tout son cas.

— Où comptez-vous aller ? Quel genre de job cherchez-vous ?

— Un qui corresponde à mes qualifications, ce qui limite sensiblement le choix, ajouta-t-elle avec un petit rire. Les licences d'Histoire de l'Art ne garantissent pas toujours de nourrir leurs titulaires. Je pourrais enseigner, mais les postes sont rarissimes. Je pourrais diriger une galerie, je peux tout faire, de la comptabilité à l'accrochage de tableaux — et croyez-moi, l'accrochage est un art en lui-même —, mais les galeries ne courent pas les rues.

— Vous n'avez jamais pensé à vendre vos propres aquarelles ?

Elle détourna la tête.

— Cela ne se vendrait pas. Je connais d'excellents aquarellistes qui rament comme des perdus matériellement parlant. Et puis, je crains que mes aquarelles ne soient trop… personnelles.

Elle eut l'impression qu'il allait dire quelque chose, mais il se ravisa.

— Vous n'envisageriez pas de retourner chez vos beaux-parents ?

— Non merci. J'ai déjà vécu chez eux assez longtemps et j'en suis partie en jurant de ne jamais y retourner. Je connais ma belle-mère, elle commencerait par vouloir aller exhiber Jimmy chez toutes ses amies ou relations — vaste programme —, ensuite elle m'expliquerait que j'ai l'air épuisé, donc elle engagerait une nurse. Enfin, elle inscrirait Jimmy dans l'ancienne école de Niles. Bref, vous imaginez le tableau.

— Elle a perdu son seul fils.

— Et moi, j'ai perdu mon seul mari, alors n'essayez pas de me faire culpabiliser. De toute façon, même si elle n'essayait pas de me prendre Jimmy, je ne pourrais jamais les laisser faire subir à mon fils tout ce qu'ils ont fait subir à Niles. Je préférerais vivre dans une caravane plutôt que de retourner là-bas et de les laisser détruire Jimmy.

On entendait un bruit provenir du berceau et ils tournèrent la tête d'un même mouvement. Harrison traversa la pièce sur la pointe des pieds pour aller regarder l'enfant endormi. Avec un soupir, Cléo le rejoignit.

— Il est si beau…, murmura-t-elle.

Cela parut la chose la plus naturelle du monde qu'Harrison lui glisse un bras autour de la taille. Elle appuya sa tête contre son épaule. Parce qu'elle était fatiguée, se dit-elle. Parce qu'elle sentait monter une forte migraine, résultant de cette journée éprouvante et de trop de questions restées sans réponse.

— Fatiguée ? murmura Harrison.

Elle hocha la tête.

— Vous avez mal à la tête, n'est-ce pas ?

— Comment l'avez-vous deviné ?

— Vos yeux deviennent plus sombres lorsque vous souffrez.

— Vous voyez beaucoup trop de choses…

— Je vois pourquoi vous ne voulez pas retourner avec vos beaux-parents, en revanche, je ne vois pas pourquoi vous ne voulez pas rester ici.

Elle se dégagea de son bras et alla s'asseoir au pied du lit, se massant les tempes avec ses paumes à plat.

— Ecoutez, Harrison, je ne peux pas éternellement continuer à dériver au fil de l'eau. Il faut que je prenne ma vie en main. J'en suis capable. Je vous assure que je contrôle la situation.

A peu près autant qu'un météorologiste contrôle le temps : en regardant ce qui se passe et en le commentant ensuite.

Harrison vint s'asseoir à côté d'elle, et Cléo chercha fébrilement dans sa tête quelque chose de sensé à lui dire. A propos

162

de la Bourse, du marché du travail, à propos de n'importe quoi, mais quelque chose à dire.

Harrison leva les mains et vint glisser ses doigts sous ceux de Cléo, puis il commença à lui masser les tempes en gestes circulaires très doux. Comme par magie, la douleur parut s'estomper.

— C'est déjà beaucoup mieux, soupira-t-elle.

— J'avais souvent des migraines avant, murmura-t-il, mais cela fait des siècles que je n'en ai pas eu.

Et alors, qui lui massait les tempes ? Marla ? se demanda-t-elle avec un pincement de jalousie.

— Penchez-vous en avant pour que je puisse masser votre nuque, cela devrait apaiser la tension.

Faux. Au cas où il ne l'aurait pas remarqué, la tension avait triplé au cours des deux dernières minutes.

Il l'attira contre lui pour qu'elle vienne appuyer son front contre son épaule. Et ses mains, ses merveilleuses mains si fortes, si rassurantes, continuèrent leur pression régulière.

— Ça va mieux ? demanda-t-il.

— Mmm-Humm…

Dehors, la pluie continuait à tomber, accentuant l'atmosphère d'intimité de la chambre à peine éclairée par la douce lumière de la lampe de chevet.

Les mains d'Harrison descendirent le long de sa colonne vertébrale, caressant, appuyant, effaçant la tension. Mais créant une tension d'une tout autre sorte.

C'est de la folie pure, pensait Cléo, on sait où peut mener ce genre de choses.

« Et mon Dieu, si seulement cela me menait… »

— A propos, commença-t-elle, heureuse d'avoir trouvé un sujet de conversation, comment expliquez-vous que vous ayez impressionné mon beau-père à ce point ? On aurait dit qu'il vous connaissait.

— Chut… ne vous contractez pas de nouveau. Comment va votre migraine ?

— Mieux. En fait, elle a presque disparu.

Elle regretta ses mots à l'instant même où ils franchirent ses lèvres, de crainte qu'Harrison ne cesse son délicieux massage.

Grâce au ciel, il ne s'interrompit pas, et elle sentit ses mains remonter le long de sa colonne vertébrale. En revanche, pensa-t-elle, si c'était supposé être un massage relaxant, c'était plutôt raté.

— Qu'est-ce que j'étais en train de dire ? murmura-t-elle.

Les mains d'Harrison redescendirent le long de ses côtes et le bout de ses doigts lui effleurèrent les seins. Elle l'entendait respirer. Rapidement.

— Vous étiez en train de dire quelque chose ?

— Ah oui ! A propos de mon beau-père.

Parler, parler à tout prix, pour détourner son esprit de ce qui lui arrivait.

— Seul le pouvoir de l'argent l'impressionne, poursuivit-elle. Donc, je sais que vous n'êtes pas pauvre, mais vous devez vraiment être *très* riche : mon malheureux beau-père m'a paru pathétique de veulerie.

Les mains d'Harrison s'arrêtèrent.

— Cela changerait quelque chose si je l'étais ?

— Pour mon beau-père ? Bien sûr que oui ! Vous l'avez entendu citer tous ces noms de politiciens et — les mains d'Harrison reprirent leur descente — Oh… Oui… Juste là.

Elle se blottit tout contre lui pour lui faciliter l'accès à tous ces endroits qu'elle avait tant envie de sentir caresser.

Enfin, peut-être pas *tous* ces endroits…

— Laissez tomber votre beau-père, dit Harrison d'une voix grave. Est-ce que cela changerait quelque chose pour *vous* ?

Ses mains s'arrêtèrent de nouveau et Cléo laissa échapper un soupir, puis se redressa pour s'écarter de lui. Mais il la maintenait emprisonnée dans ses bras.

— Répondez à ma question, Cléo : Est-ce que cela changerait quelque chose pour vous si vous saviez que je peux vous entretenir vous et Jimmy, de telle sorte que vous n'ayez pas besoin de travailler ?

— Harrison, je ne suis pas complètement idiote. Vous n'avez pas trouvé le tank que vous conduisez dans une pochette surprise. En plus, vous me payez cinq cents dollars par semaine — ce qui est beaucoup trop — et…

— Et vous n'avez d'ailleurs pas encaissé un seul de mes chèques.

— Mais parce que je n'en avais pas besoin : vous me nourrissez, vous avez vidé la quasi-totalité des magasins de mobilier à cinq cents kilomètres à la ronde, et vous n'avez même pas emménagé. Du moins pas officiellement. J'en déduis donc que vous ne travaillez pas seulement pour cette société d'informatique que vous avez mentionnée, mais que vous devez en être le propriétaire.

— Je l'étais. Plus maintenant.

— Vous l'avez perdue ? Vous avez tout perdu et c'est la raison pour laquelle vous êtes venu dans ce trou, pour essayer de repartir de zéro ?

— C'est… l'une des raisons.

— Une autre étant que ?

— Peut-être parce que j'ai trouvé ici quelque chose à quoi j'accorde beaucoup plus de valeur qu'à tout ce que j'ai laissé derrière moi.

— Vraiment ?

Elle retint sa respiration. Elle était folle d'espérer. Folle de ressentir ce qu'elle ressentait. Folle d'espérer qu'il ressentait la même chose…

Il allait l'embrasser. Elle se passa nerveusement la langue sur les lèvres et attendit.

Doucement, il la fit s'étendre sur le lit, son regard toujours rivé au sien. Son baiser commença lentement. Presque hésitant. Mais elle enroula ses bras autour de son cou, alors il poussa un grondement sourd et s'allongea sur elle, son poids douloureux sur ses seins gonflés.

Sans cesser de l'embrasser, il écarta les pans de son peignoir, tandis que Cléo lui déboutonnait sa chemise avec une impatience fébrile. Elle enfouit avec volupté ses doigts dans la toison sombre qui recouvrait son torse superbe, puis elle descendit le long de son ventre plat, savourant la texture élastique de sa peau, mais Harrison l'interrompit en posant sa main sur la sienne.

— Il est sans doute trop tôt, murmura-t-il d'une voix rauque.

— Mais non…

— Je ne voudrais pas.

— Et moi, je veux, objecta-t-elle avec un petit rire. Attendez, laissez-moi éteindre la lumière, ajouta-t-elle en tendant la main vers la lampe de chevet.

Mais il lui prit la main et la porta à ses lèvres.

Il sentait son cœur battre à se rompre. Il avait peur, mais cette peur ne suffisait pas à diminuer la force de son désir. Pourtant, il savait pertinemment qu'avec ses antécédents médicaux il ne pouvait pas, il ne devait pas se permettre ce genre de chose. Et s'il mourait pendant qu'ils… Oh, ce serait épouvantable pour Cléo.

Malgré les dénégations répétées des médecins, il ne pouvait s'empêcher de repenser à tous les récits qu'il avait entendus d'hommes morts dans les bras de leurs maîtresses. Oui, d'ailleurs, à y bien réfléchir, il se souvenait qu'il s'agissait toujours de maîtresses, ou d'aventures d'un soir. Jamais il n'avait entendu parler d'un homme qui serait mort dans les bras de son épouse après

166

lui avoir fait l'amour. Ce qui semblait montrer une incidence certaine du facteur de culpabilité dans ce genre d'accident.

Ce soir, il n'était pas question de culpabilité. Il ne savait pas très bien de quoi au juste il était question, et cela lui paraissait une raison supplémentaire de s'inquiéter. Il savait en tout cas que jamais il n'avait éprouvé pour Marla — ni pour aucune autre des femmes avec lesquelles il avait couché — une telle intensité de sentiments. Et comment diable espérer pouvoir contrôler ses émotions alors qu'il ne parvenait pas même à les comprendre ?

— Harrison, murmura Cléo contre son oreille, je suis désolée.

Il leva la tête et plongea son regard dans le sien.

— Non, Cléo, c'est moi qui suis désolé. Je… je ne vous ai pas tout dit. Je suppose que je ne voulais pas que vous me preniez pour un vieux croulant. Je n'aurais jamais dû commencer. Je suis désolé de vous décevoir. Je voulais juste parler avec vous pour savoir à quoi nous en tenir sur nous deux.

Elle eut un rire sans joie.

— Eh bien, je suppose que maintenant nous le savons.

— Nous le savons ?

— Oui, enfin moi je sais qu'une jeune accouchée encore encombrée de cinq kilos de graisse et bardée d'un de ces monstrueux soutien-gorge d'allaitement ne peut pas espérer séduire…

— Oh, Cléo ! Ma puce ! Comment pouvez-vous croire une chose pareille ? Je n'ai jamais désiré une femme autant que je vous désire en ce moment.

Il lut, dans ses yeux embués de larmes retenues que, non seulement elle ne lui faisait aucun reproche, mais qu'elle se blâmait elle-même.

— Cléo… Je vous jure que vous vous trompez.

167

Son ex-mari avait vraiment dû la détruire moralement pour qu'elle eût gardé une si piètre idée de son pouvoir de séduction. Pourtant, elle ne pouvait pas ne pas voir...

— Vous ne me croyez pas ?

Silence.

Il n'y avait qu'un moyen de la convaincre, et il décida de le prendre. Couvrant sa main avec la sienne, il la guida jusqu'à la seule preuve tangible qu'il pouvait lui offrir.

Il vit ses yeux s'agrandir de surprise, et il ferma les siens. Lorsque les doigts de Cléo se refermèrent autour de lui, il crut mourir. Son cœur cognant dans sa poitrine, il attendit la douleur foudroyante. Elle ne vint pas.

— Mais alors pourquoi ? murmura Cléo.

— Cléo, je... J'ai déjà eu une crise cardiaque.

Il attendit.

— Et alors ?

Sa main était encore sur lui, ce qui était probablement aussi dangereux que s'il s'était trouvé en elle, mais il ne voyait pas comment pouvoir s'écarter sans donner à Cléo l'impression qu'il la rejetait.

Il sentit sa main commencer à bouger, d'abord de façon presque imperceptible, puis plus franche, mais toujours avec une infinie douceur. Il savait qu'il fallait l'arrêter, avant de se couvrir de honte, au mieux, ou de se tuer, au pire.

— Je ne peux pas vous laisser..., souffla-t-il d'une voix rauque.

Mais Cléo se lova plus étroitement contre lui et lui effleura les lèvres d'un baiser très tendre.

— Laissez-moi vous aider, murmura-t-elle. Laissez-moi faire au moins cela pour vous.

Et elle intensifia sa caresse, tout en lui murmurant à l'oreille des paroles douces, et il la serra plus fort dans ses bras, la serra à l'étouffer… et explosa dans un grand cri, ce qui ne lui était jamais arrivé auparavant.

Lorsque enfin il eut repris son souffle, il marmonna des paroles d'excuse, mais Jimmy, tiré de son sommeil, commença à pleurer et il n'entendit pas ce que Cléo lui répondit. Il se leva, crut l'entendre dire « Attendez » derrière lui, mais il n'attendit pas. Lorsqu'il eut refermé la porte, retenant son pantalon d'une main et sa chemise de l'autre, il se demanda jusqu'où il devrait courir pour oublier sa honte. L'Alaska lui parut une bonne idée.

Harrison jugea le petit déjeuner abominable. Le samedi était jour de congé pour Ada, et ils s'étaient retrouvés seuls tous les trois, Cléo, Jimmy et lui, sans rien qui puisse dissiper le malaise.

— Vous voulez du café ? proposa-t-il à Cléo sans oser la regarder en face.

— Merci non, je n'ai pas très faim.

— Ce doit être le temps.

Non, ce n'était pas le temps, et ils le savaient tous les deux très bien. C'était le fait de se rappeler que la veille, il avait joui sous sa caresse, qu'il avait crié son plaisir, avant de réveiller Jimmy et de s'enfuir comme un voleur, abandonnant Cléo et son bébé hurlant dans les bras.

Après une douche rapide, il s'était effondré sur son lit… pour ne se réveiller que le lendemain matin, surpris d'avoir dormi d'un sommeil de plomb.

— Il faut que vous sachiez, commença-t-il d'une voix hésitante… Mon père est mort d'une crise cardiaque à l'âge de quarante-sept ans.

— J'en suis désolée, Harrison. Le mien est mort à quarante-neuf ans des suites d'une sclérose en plaques. Mais je crois vous l'avoir déjà dit, non ?

— Vous ne comprenez pas ce que j'essaie de vous dire.

— Oh ! mais si, répondit-elle sans le regarder, tout en tournant avec application sa cuillère dans son bol de céréales. Vous essayez de me dire que vous avez peur de mourir.

— Eh bien oui. Bon sang, mettez-vous à ma place.

— Ce que nous avons fait hier soir vous a causé heu... disons... un problème ?

— Vous voulez dire outre le fait que j'ai cru mourir de honte ?

Elle eut ce sourire doux et un peu moqueur qui le faisait toujours fondre.

— Vous vous êtes senti honteux ? Et alors moi, que devrais-je dire ? Comment croyez-vous que je me sentais avec ma taille empâtée par cinq kilos de graisse flasque, et les seins bardés d'un monstrueux soutien-gorge destiné à empêcher les fuites. Si vous croyez qu'une femme peut se sentir désirable dans de pareilles conditions, eh bien, permettez-moi de vous dire que vous vous trompez fortement.

— Si moi, je mourais de honte, et si vous, vous sentiez monstrueuse à cause de vos sous-vêtements, alors vous pouvez m'expliquer ce qui a bien pu se passer ?

— Je pense qu'on a oublié tout ça.

— Probablement.

Il poussa un gros soupir.

— Bon, je dois aller en ville tout à l'heure, vous voulez venir ?

— Merci, non, j'ai pas mal de choses à faire ici.

— Alors donnez-moi votre liste et je passerai chercher ce dont vous avez besoin.

Cléo hocha la tête en signe d'assentiment, se versa une nouvelle cuillère de sucre dans son café, puis repoussa la tasse sans y avoir touché.

Dès qu'il serait parti, elle allait appeler la dame de l'agence. Plus vite elle romprait les liens qui la retenaient ici, plus vite elle pourrait entamer le processus de cicatrisation de son cœur.

Cette fois-ci, du moins, il s'agirait d'une rupture nette et propre, pas comme avec Niles.

Cette fois-ci, elle allait souffrir, bien sûr, horriblement, mais au bout d'une dizaine d'années, elle aurait sans doute oublié. Sans doute.

Elle aurait oublié Harrison et peut-être même qu'elle se serait trouvé quelqu'un d'autre. Les petits garçons ont besoin d'une image paternelle pour se forger leur personnalité. Tout comme les femmes ont besoin d'un mari. De quelqu'un à aimer. Quelqu'un avec qui partager sa vie. Quelqu'un vers qui se tourner le soir, quand la solitude devient vraiment trop lourde à porter.

14.

Le téléphone de l'agence était occupé. Elle insista, puis finit par abandonner et se résolut à faire un dernier inventaire de ce qui restait dans les placards et commodes de la maison. Elle ouvrit les uns après les autres tous les tiroirs, toutes les portes, fixant d'un air las les quelques objets ou vêtements qui s'y trouvaient encore. Après tout, elle pourrait tout aussi bien les laisser en partant. Aucune loi n'obligeait le propriétaire d'une maison à la vider entièrement de tous ses objets personnels lorsqu'il décidait de la vendre.

Du moins elle espérait que non.

Elle alla réveiller Jimmy, pourtant profondément endormi, pour le prendre dans ses bras et le bercer doucement. Parce qu'elle en avait besoin. Parce qu'elle se sentait tellement seule.

Et que faire des aquarelles ? Les emporter ? Les tableaux encadrés supportaient mal les déplacements. Les laisser ici ? Peut-être, si elles pouvaient empêcher Harrison de l'oublier. Par ailleurs, même si elle ne connaissait pas ses goûts en matière d'art, elle supposait qu'il préférait des œuvres plus… viriles. Des œuvres plus géométriques, plus fortes, bref, qui lui ressemblaient davantage.

Elle-même emporterait avec elle tant de souvenirs de leur vie en commun. Leurs virées au supermarché, les tentatives de bricolage d'Harrison, ses essais de plantations. Sa désintoxication de la caféine — et les terribles migraines qui en résultaient, mais dont il ne se plaignait jamais. Son impatience permanente qu'il se donnait un mal fou à dissimuler. Comment un homme si impatient avec lui-même pouvait-il se montrer si patient avec quelqu'un d'autre ?

Elle sortit sous la véranda, ramassa un drap de berceau oublié, et repensa à l'incroyable métamorphose qui s'était produite chez Harrison depuis son arrivée. Elle repensa à toutes les raisons pour lesquelles elle l'aimait. A toutes les raisons pour lesquelles ça ne marcherait jamais.

Elle se laissa tomber dans le hamac avec un profond soupir. La tasse de café d'Harrison était encore là où il l'avait laissée ce matin, son journal ouvert à la page économique. En prêtant attention, elle pouvait même sentir le léger parfum de son after-shave suspendu dans l'air chaud et lourd.

Le croassement des corneilles la tira de sa rêverie, et elle ouvrit les yeux. Elle aperçut l'homme, accroupi sur le sol, en train de dévorer les reliefs du repas qu'elle avait jetés là pour les oiseaux.

Muni de brochures et d'une carte routière, Harrison partit tôt. Dire qu'il avait si souvent renâclé devant tous les vernissages et expositions diverses auxquels il avait dû assister… Cette fois-ci, il s'était embarqué de son plein gré. Et il avait la ferme intention de visiter toutes les galeries existantes entre Ducks et Hatteras. Il devait bien en exister au moins une qui corresponde tout à fait à ce que Cléo cherchait. Sinon, eh bien, il lui en ouvrirait une, voilà tout. Son plan se résumait à ceci : d'une part, s'informer des possibilités d'emplois ; d'autre part, regarder le style d'œuvres susceptibles d'être comparées aux siennes. Lui considérait que celles de Cléo sortaient du lot, mais il était le premier à reconnaître son incompétence dans ce domaine.

Au fur et à mesure que sa journée avançait, il se rendit compte qu'il allait devoir modifier quelque peu son approche du problème. Parce qu'il n'y avait pas de postes à pourvoir. Du moins, pas dans les galeries qu'il avait visitées jusqu'à présent. Deuxièmement, parce qu'il ne pouvait négliger l'éventualité que le travail de Cléo ne puisse pas du tout être commercialisé. Elle ne peignait pas de jolies plages bordées de roseaux ondulants dans le vent, elle ne peignait pas non plus de phares au crépuscule, ni de poissons tropicaux multicolores. Non pas qu'il eût le moindre mépris pour ce genre de peinture, non, mais aucune de ces peintures «touristiques» ne lui faisait un effet semblable aux aquarelles dépouillées de Cléo.

Bon, d'accord, il était partial. Et alors ? Il voulait bien le reconnaître. En fait, si Cléo voulait vivre de sa peinture, il lui proposerait d'acheter toute sa production et s'estimerait ravi qu'elle accepte.

Il se rendait compte pour la première fois de son existence à quel point la peinture était une chose personnelle et non pas uniquement — ce qu'il avait toujours considéré jusqu'alors — une forme d'investissement ou même de spéculation.

Il aimait vraiment beaucoup les aquarelles de Cléo. Pures. Simples. Sereines. Comme elle.

Oui, il allait se débrouiller pour les garder.

Il allait surtout se débrouiller pour garder Cléo.

Il était près de 6 heures du soir lorsqu'il fit demi-tour et reprit la direction de la maison.

Cléo sut tout de suite de qui il s'agissait parce qu'on apercevait à travers les accrocs des hardes qu'il portait le tissu orange caractéristique des tenues des prisonniers. De toute façon, elle ne l'aurait jamais chassé, ni encore moins livré aux autorités, avant d'avoir nourri ce pauvre diable.

— Encore un peu de café ?

— S'il vous plaît, m'dam.

Il lui tendit sa tasse, mais sa main tremblait tellement que Cléo préféra lui prendre la tasse des mains pour ne pas renverser du café partout.

Elle lui avait apporté du savon et une serviette de toilette, et lui avait demandé de se laver au robinet dehors avant de rentrer déjeuner.

— Vous feriez aussi bien de finir le poulet, il n'en reste plus qu'un seul morceau.

Il engloutit le dernier morceau comme il avait englouti tous les autres, ajoutant un dernier os à la pile déjà impressionnante de son assiette.

Adossée au réfrigérateur, Cléo l'observait. Difficile de dire l'âge qu'il avait, compte tenu de son état déplorable, mais elle aurait juré qu'il n'avait guère plus de dix-huit ans. Vingt ans tout au plus.

Il n'avait en tout cas rien d'un criminel endurci et, de toute évidence, il avait dû recevoir, dans son enfance, des rudiments d'éducation.

— Pourquoi vous a-t-on mis en prison ?

Elle crut tout d'abord qu'il n'allait pas répondre, mais il fixa le mur devant lui et marmonna.

— Je me suis fait arrêter au volant d'une voiture qu'était pas à moi.

Un voleur de voiture. Bon, au moins il ne s'agissait pas d'un meurtrier.

— Qu'est-ce qui vous a pris de vous évader ? Cela fait des semaines qu'ils vous cherchent et vous savez bien que vous n'auriez pas pu vous en tirer.

— J'ai eu envie d'aller… aux toilettes.

— Oh, je vous en prie, j'essaie de vous aider, alors ne me racontez pas de salades.

— Mais, m'dam, je vous jure que c'est la vérité. On travaillait à nettoyer un carré de la forêt qui a brûlé le mois dernier, et il fallait que j'y aille, et le garde m'a dit d'attendre. Mais moi, j'pouvais plus. Alors, comme il était occupé à séparer deux gars qui se battaient, j'en ai profité pour aller derrière un gros buisson.

— Et ?

— Et… ben j'ai fait.

— Non, je veux dire, qu'est-il arrivé après ?

— Ben rien. Le garde a séparé les deux gars et il criait après eux et…

— Mais que vous a-t-il dit à vous ?

— A moi rien, m'dam, vu que j'y suis pas retourné. J'suis juste resté accroupi derrière le buisson. Et quand ils ont été loin je suis parti dans l'autre direction, voilà tout.

— C'est incroyable.

— Pour sûr, m'dam, pour sûr.

— Que s'est-il passé après ?

— Et ben j'ai couru. Je savais qu'ils allaient revenir avec des chiens, alors j'suis allé dans la rivière, pour que les chiens perdent ma piste. J'ai remonté le courant.

— Très astucieux.

— Oui, m'dam, m'man m'a toujours dit que j'étais très astucieux, comme papa.

— A propos, comment vous appelez-vous ?

— Willy, euh William Klayton, m'dam.

— Bien. Je suppose que vous vous rendez compte que vous allez devoir vous rendre à la police. Ça ne vous enchante certainement pas pour le moment, mais croyez-moi, c'est la seule chose à faire. Vous ne pouvez pas continuer à fuir pendant tout le reste de votre existence. Et puis, vous avez besoin d'être soigné. Quand ce problème de gonflement des paupières sera réglé, je pense que vous devriez suivre le programme scolaire que propose la prison. Astucieux comme vous l'êtes, cela vous permettra d'acquérir une formation et de prendre un nouveau départ.

— Oui, m'dam, je suppose que oui.

On entendit dehors le claquement de la portière d'une voiture et le jeune garçon bondit sur ses pieds.

— M'dam, vous m'aviez promis !

— Je n'ai pas appelé les autorités. Réfléchissez, voyons : quand l'aurais-je fait ? Il s'agit sans doute d'un ami à moi qui habite ici. Je vous garantis qu'il est tout à fait inoffensif.

— Cléo ? Je suis rentré !

— Il a pas l'air du tout inoffensif, s'inquiéta le jeune homme en entendant la voix forte d'Harrison.

En effet, reconnut Cléo pour elle-même, il devait exister différents types d' « inoffensivité » et Harrison Lawless était sûrement seul dans son genre.

— Nous sommes dans la cuisine ! cria-t-elle pour lui répondre, tout en retenant son visiteur par le bras pour l'empêcher de se ruer vers la porte de derrière.

Elle le força à se rasseoir sur sa chaise. Avec ses yeux bouffis, ce pauvre garçon ressemblait vraiment à tout sauf à un criminel en cavale.

— Maintenant, ne bougez plus et essayez de paraître calme, même si vous ne l'êtes pas. M. Lawless est un homme raisonnable et je vous promets qu'il va vous écouter.

La porte de la cuisine s'ouvrit à la volée et Harrison apparut sur le seuil, les bras chargés d'une pile de brochures.

— Cléo, j'ai trouvé…

— Harrison, coupa Cléo précipitamment, je vous présente Willy qui euh… campe dans les bois depuis un certain temps. Et nous avons décidé ensemble qu'il ferait bien mieux de retourner à…

— Bon sang, Cléo, mais c'est le prisonnier évadé ! Ecoutez…

— Non, *vous* écoutez-moi. Ce pauvre garçon a besoin d'aide, et il a déjà accepté d'aller de lui-même se rendre aux autorités. N'est-ce pas, Willy ? Il va se faire soigner les yeux et puis il va s'inscrire à un des programmes éducatifs qu'on peut suivre en prison et, une fois qu'il aura payé sa dette à la société, alors nous verrons ce que nous pourrons faire pour l'aider à trouver un job.

Harrison ferma les yeux et s'obligea à compter dans sa tête pour essayer de garder son calme. La seule chose positive en tout cas dans cette histoire de fou, c'était le « nous » qu'avait employé Cléo. Peut-être cela voulait-il dire qu'elle avait changé d'avis à propos de son départ ?

Son regard alla de l'un à l'autre : Cléo, bras croisés sur la poitrine, prête à livrer bataille, et le pauvre garçon recroquevillé sur sa chaise, devant une assiette pleine d'os de poulet.

— Ma fille, l'un de nous deux a vraiment besoin d'un gardien, dit-il enfin d'une voix grave. Et je dois dire que je finis par me demander lequel.

Quelques heures plus tard, Cléo et Harrison se tenaient sur l'embarcadère, regardant la lune se lever derrière un mur de nuages iridescents, et nimber d'une lumière magique la rivière et les bois alentour.

Jimmy s'était enfin endormi, le ventre plein, les fesses au sec, et avec un talent tout neuf : pendant que Cléo le changeait, il avait réussi à se mettre un pied dans la bouche.

Le malheureux Willy était retourné à la maison de correction, mais non sans qu'Harrison et Cléo eussent d'abord longuement discuté avec le directeur de l'établissement.

De retour à la maison, Cléo avait subi un sermon en règle de la part d'Harrison. Elle avait répondu en parlant charité et devoir civique. Bref, un véritable dialogue de sourds, mais qui n'avait pas entamé la bonne humeur d'Harrison, au contraire : une fois oubliée la peur qu'il avait éprouvée en trouvant Cléo face à son prisonnier évadé, il ne pouvait s'empêcher de ressentir un élan d'admiration et d'amusement devant la fougue avec laquelle elle avait pris la défense du jeune délinquant.

Ce n'est que beaucoup plus tard qu'il se rendit compte qu'il venait de vivre une heure de stress intense, sans éprouver le moindre pincement du côté de la poitrine. Il inspira à fond et plia son bras gauche à plusieurs reprises pour s'assurer que tout allait bien. Impeccable.

D'ailleurs, il se sentait infiniment mieux que bien.

Il avait glissé un bras autour de la taille de Cléo, et elle avait appuyé sa tête sur son épaule. Naturellement. La gêne qu'ils avaient ressentie pendant le petit déjeuner avait été totalement dissipée par les événements de la journée.

Une fois qu'ils s'étaient libérés de leur malheureux évadé, ils étaient allés prendre une douche chacun de son côté.

Sous la sienne — froide — Harrison avait décidé de réfléchir à la façon d'expliquer à Cléo ce qu'avaient donné ses contacts de la matinée, pour l'amener à accepter le fait qu'il finance pour elle l'ouverture d'une galerie, et le salaire d'une employée qui lui permettrait de se libérer pour consacrer davantage de temps à Jimmy.

Entre autres…

Au lieu de quoi, il avait passé tout son temps à imaginer Cléo seule dans sa salle de bains, regrettant de ne pouvoir partager sa douche avec elle.

Sa table. Son lit. Sa vie.

Il s'éclaircit la voix.

— J'ai pas mal prospecté ce matin et j'aimerais vous parler de ce à quoi j'ai réfléchi.

— Harrison, je laisserai pas mal de choses en partant, mais je vous en prie, n'hésitez pas à vous débarrasser de ce qui ne vous intéresse pas.

— Bien sûr. Cléo, comme je vous le disais, je…

— Vous devriez trouver dans les parages une association caritative quelconque qui serait ravie de récupérer…

— Ecoutez, Cléo, à propos de ce que je disais. Et puis zut ! Cléo, voulez-vous m'épouser ?

Elle leva la tête et le dévisagea, bouche bée, les yeux écarquillés de surprise.

— Est-ce que je veux *quoi* ?

— M'épouser. Mais je vous en prie, ne répondez pas tout de suite. Prenez le temps de réfléchir.

— Enfin, Harrison, vous vous rendez compte de ce que vous venez de me demander ? Vous êtes tombé sur la tête ?

— Cela pourrait-il me servir à vous convaincre, si c'était le cas ? dit-il avec un petit rire. Non, Cléo, trêve de plaisanteries, je vous assure que je suis quelqu'un de très… fiable.

— Oh, Harrison…

— Je vous en prie, laissez-moi finir. Je vous ai déjà dit que j'avais eu un problème cardiaque. Sur le plan génétique, je ne suis sans doute pas l'affaire du siècle, mais vous avez pu constater que je me donne un mal fou pour suivre les ordres des médecins : un régime strict, de l'exercice, et pas de stress.

— Pas de stress, comme cet après-midi, par exemple ?

— Exact, admit-il en riant. Par ailleurs, si cela peut vous rassurer, j'ai souscrit une énorme assurance-vie.

— Voyons, Harrison, protesta-t-elle en lui donnant une tape sur le bras, je ne veux pas entendre des choses pareilles !

Il se frotta le bras en riant.

— Ne m'interrompez pas tout le temps alors que j'essaye de vous faire l'article pour vous convaincre d'accepter ma demande ! Bon, où en étais-je… Ah oui : vous avez sans doute remarqué mon manque de compétences en matière de bricolage, en revanche, je vous assure que sur le plan intel…

Cléo l'interrompit en lui posant une main sur sa bouche avec un « chut ! » péremptoire.

— Taisez-vous une minute, voulez-vous ? Et laissez-moi parler.

— Vous allez répondre non, c'est ça ?

— Non. Je veux dire non, je ne vais pas répondre non. Du moins, pas comme ça tout de suite, mais je veux d'abord que vous m'expliquiez pourquoi vous voulez m'épouser.

— Parce que. Bon sang, Cléo, après ce qui s'est passé la nuit dernière, vous…

— Vous voulez dire que vous me demandez en mariage parce que nous avons fait l'amour ? Mais enfin, Harrison, nous sommes au vingt et unième siècle, et ça fait des lustres qu'on ne se considère plus obligé d'épouser une fille uniquement parce qu'on lui a fait l'amour !

— D'abord, et hélas, vous inversez les rôles : ce n'est pas moi qui vous ai fait l'amour. Ensuite, il ne s'agit pas du tout d'obligation. Je… Ecoutez, faut-il vraiment que l'on parle de ce qui s'est passé hier soir ? Je me sens monstrueusement gêné.

— Vous n'avez pas besoin d'être gêné. Vous avez encore moins besoin de m'épouser. Je sais que je ne suis pas le genre de femme avec lesquelles vous… Enfin bref, je ne suis pas du genre de Marla.

— Marla ! Vous n'avez pas un peu fini avec Marla ? s'écria-t-il en la saisissant aux épaules et en l'obligeant à le regarder.

— Je sais, je sais, vous êtes juste amis. Mais vous ne pouvez pas nier le fait que vous avez voulu l'épouser. Bon, autre chose, si vraiment vous avez reculé hier soir parce que vous en redoutiez les conséquences, alors je le comprends. Mais je voulais vous dire que j'ai lu récemment des tas d'ouvrages de vulgarisation médicale, pas seulement sur la puériculture, mais aussi sur les problèmes d'hypertension et de cholestérol. Je sais donc que les statistiques prouvent que les hommes mariés vivent plus longtemps, mais…

— Attendez un peu, vous croyez que c'est pour ça que je veux vous épouser ?

— Je ne sais pas, mais en tout cas je veux que vous me disiez la vérité. Honnêtement.

Il la secoua par les épaules puis la prit dans ses bras et la serra à l'étouffer.

— Cléo, vous êtes folle, murmura-t-il en enfouissant son visage dans sa chevelure.

— Peut-être, répondit-elle avec un petit rire, mais dites-moi, je pensais à quelque chose : vous ne croyez pas que l'acte sexuel peut être considéré comme de l'exercice physique ?

Elle plaqua son bassin plus étroitement contre lui, contre l'érection qu'il ne pouvait dissimuler.

— Je suppose que ça doit dépendre de la façon dont on le fait, répondit-il en riant à son tour.

Elle ondula des hanches, lui arrachant un gémissement sourd.

— On pourrait essayer de commencer tout doucement pour voir comment vous réagissez.

— Tout doucement ? Je ne crois pas que…

— Et si vous me laissiez prendre la direction des opérations ?

— Vous feriez ça pour moi ?

Elle hocha la tête sans répondre et il se sentit une fois de plus submergé d'un flot de tendresse. Cette fille était vraiment géniale.

— Combien de temps pouvons-nous espérer passer tranquilles avant que Jimmy ne se réveille ?

— Oh, des heures si on ne fait pas trop de bruit.

— Alors là, je ne peux rien garantir !…

Deux heures plus tard, étendu sur les draps défaits, Harrison écoutait le bruit régulier de la respiration de la jeune femme endormie contre lui, et pensait à ce qui venait de se passer. De se passer trois fois.

— Tu es réveillé ? murmura une petite voix. Je pensais à quelque chose… si je t'épouse…

— *Si ?*

— Non, je veux dire quand je t'épouserai, rectifia-t-elle tout en glissant sa main sur son ventre pour le caresser en gestes très doux.

— Quand ? demanda-t-il d'une voix rauque.

— Le mois prochain ?

— Quand ?

— La semaine prochaine ?

— Et que penserais-tu d'aujourd'hui même ?

— Voyons, Harrison, c'est impossible. Ça prend tout de même un certain temps.

— Je ne peux pas attendre. Et si tu ne cesses pas de faire ce que tu es en train de faire, tu vas voir à quel point je peux me montrer impatient.

— Harrison, j'espère tout de même que tu te rends compte que le mariage ne se limite pas au sexe. Je veux dire… Je te promets que je vais faire des efforts pour devenir une épouse parfaite, mais je ne peux pas te promettre de changer : j'ai essayé une fois et…

— Ecoute, Cléo, je t'aime telle que tu es maintenant. Et si dans dix ans, dans vingt ans, ou même dans trente ans, tu devenais différente, et bien je t'aimerais tout autant. Le fait de vivre ensemble nous fera changer tous les deux. Evoluer plutôt. Mais ne t'inquiète pas, ma puce, mon cœur t'appartient. A toi et à Jimmy. Et, si par bonheur nous avons d'autres enfants un jour, eh bien mon cœur s'agrandira, voilà tout.

Dans la chambre voisine les gazouillis de Jimmy annoncèrent qu'il venait de se réveiller.

— J'y vais, murmura Harrison en effleurant le front de Cléo d'un baiser léger. Je le change, je te l'amène, et nous prendrons le petit déjeuner au lit, tous les trois.

Elle laissa retomber sa tête sur son oreiller, le visage éclairé d'un sourire attendri, chavirée de bonheur…

Le nouveau visage
de la collection Or

◆

AMOURS D'AUJOURD'HUI

Afin de mieux exprimer sa modernité et de vous séduire encore davantage, votre collection Or a changé de couverture et de nom depuis le 1er mars 1995.

Rassurez-vous, les romans, eux, ne changent pas, et vous pourrez retrouver dans la collection **Amours d'Aujourd'hui** tous vos auteurs préférés.

Comme chaque mois, en effet, vous y attendent des héros d'aujourd'hui, aux prises avec des passions fortes et des situations difficiles...

**COLLECTION
AMOURS D'AUJOURD'HUI :**
Quand l'amour guérit des blessures de la vie...

Chère lectrice,

Vous nous êtes fidèle depuis longtemps?
Vous venez de faire notre connaissance?

C'est pour votre plaisir que nous avons
imaginé un rendez-vous chaque mois
avec vos auteurs préférés, vos
AUTEURS VEDETTE dans les
collections Azur et Horizon.

Les **AUTEURS VEDETTE** vous
donneront rendez-vous pour de
nouveaux livres vedette.

Pour les reconnaître, cherchez
l'étoile... Elle vous guidera!

Éditions Harlequin

HARLEQUIN

LE FORUM DES LECTEURS ET LECTRICES

CHERS(ES) LECTEURS ET LECTRICES,

VOUS NOUS ETES FIDÈLES DEPUIS LONGTEMPS?

VOUS VENEZ DE FAIRE NOTRE CONNAISSANCE?

SI VOUS AVEZ DES COMMENTAIRES, DES CRITIQUES À FORMULER, DES SUGGESTIONS À OFFRIR, N'HÉSITEZ PAS... ÉCRIVEZ-NOUS À:
> LES ENTERPRISES HARLEQUIN LTÉE.
> 498 RUE ODILE
> FABREVILLE, LAVAL, QUÉBEC.
> H7R 5X1

C'EST AVEC VOS PRÉCIEUX COMMENTAIRES QUE NOUS ALLONS POUVOIR MIEUX VOUS SERVIR.

DE PLUS, SI VOUS DÉSIREZ RECEVOIR UNE OU PLUSIEURS DE VOS SÉRIES HARLEQUIN PRÉFÉRÉE(S) À VOTRE DOMICILE, NE TARDEZ PAS À CONTACTER LE SERVICE D'ABONNEMENT; EN APPELANT AU (514) 875-4444 (RÉGION DE MONTRÉAL) OU 1-800-667-4444 (EXTÉRIEUR DE MONTRÉAL) OU TÉLÉCOPIEUR (514) 523-4444 OU COURRIER ELECTRONIQUE: AQCOURRIER@ABONNEMENT.QC.CA OU EN ÉCRIVANT À:
> ABONNEMENT QUÉBEC
> 525 RUE LOUIS-PASTEUR
> BOUCHERVILLE, QUÉBEC
> J4B 8E7

MERCI, À L'AVANCE, DE VOTRE COOPÉRATION.

BONNE LECTURE.

HARLEQUIN.

VOTRE PASSEPORT POUR LE MONDE DE L'AMOUR.

COLLECTION HORIZON

Des histoires d'amour romantiques qui vous mènent au bout du monde!

Découvrez la passion et les vives émotions qu'apportent à la Collection Horizon des auteurs de renommée internationale!

Captivantes, voire irrésistibles, ces histoires d'amour vous iront assurément droit au coeur.

Surveillez nos quatre nouveaux titres chaque mois!

La COLLECTION AZUR

Offre une lecture rapide et

- stimulante
- poignante
- exotique
- contemporaine
- romantique
- passionnée
- sensationnelle!

COLLECTION AZUR...des histoires d'amour traditionnelles qui vous mènent au bout du monde! Six nouveaux titres chaque mois.

69 **L'ASTROLOGIE EN DIRECT**
TOUT AU LONG
DE L'ANNÉE.

(France métropolitaine uniquement)
Par téléphone 08.36.68.41.01
0,34 € la minute (Serveur SCESI).

Composé et édité
PAR LES ÉDITIONS HARLEQUIN
Achevé d'imprimer en juillet 2003

BUSSIÈRE

GROUPE CPI

à Saint-Amand-Montrond (Cher)
Dépôt légal : août 2003
N° d'imprimeur : 33697 — N° d'éditeur : 10021

Imprimé en France